AF238321

Plan de internacionalización de la PYME en la práctica

Madrid 2015

José Mª Sainz de Vicuña Ancín

Plan de internacionalización de la PYME en la práctica

ESIC
BUSINESS&MARKETINGSCHOOL

Primera edición: *mayo 2015*

© ESIC EDITORIAL
Avda. de Valdenigrales, s/n - 28223 Pozuelo de Alarcón (Madrid)
Tel.: 91 452 41 00 - Fax: 91 352 85 34
www.esic.edu/editorial

ISBN: 978-84-15986-88-1
Depósito Legal: M-15377-2015
Cubierta: Gerardo Domínguez
Maquetación: Santiago Díez Escribano

Imprime: Gráficas Dehon
        La Morera, 23-25
        28850 Torrejón de Ardoz (Madrid)

Impreso en España

Índice

Prólogo

Plan de internacionalización de la PYME en la práctica constituye una obra de referencia para uno de los retos más importantes a los que se enfrenta hoy nuestro tejido productivo: la necesidad de salir al exterior para garantizar un posicionamiento competitivo en el único mercado global hoy existente. Porque entramos en una nueva era, con nuevos retos y oportunidades económicas y con el eje central en Asia: las previsiones demográficas apuntan a que en 2030, existirán en el mundo 4.900 millones de personas que formarán parte de la clase media, de las que 3.200 millones vivirán en Asia, 680 millones en Europa, 320 en Norteamérica y 311 en Latinoamérica.

A modo de guía, con numerosas recomendaciones, ejemplos prácticos y plasmando el gran conocimiento que le otorga su amplia experiencia como consultor estratégico de alta dirección, José Mª Sainz de Vicuña centra el foco de su libro en las PYMES, lo que representa uno de sus grandes aciertos. No en vano, además de conformar la base más nutrida y representativa de nuestra estructura empresarial como generadoras de crecimiento, progreso y empleo, las PYMES son también en este momento las más necesitadas de intensificar el esfuerzo derivado de su proceso de internacionalización, al mismo tiempo que los condicionantes de su propio tamaño.

El nuevo modelo de crecimiento económico mundial va a sustentarse, de hecho, sobre un extraordinario aumento de la demanda de bienes de consumo y de inversión de cada vez mayor valor añadido. En ese contexto, un tejido productivo industrial puede encontrar su nicho no sólo proporcionando productos, infraestructuras y servicios tradicionales, sino también nuevos productos y actividades de mayor atractivo y recorrido en los que algunas de nuestras grandes empresas ya están posicionadas, pero no todavía nuestras PYMES.

Señala también en su obra José Mª, además de buen amigo, gran experto en estos temas, que las PYMES deben ser conscientes de que, además de tamaño, competir en un mundo global exige innovación constante. Innovación que ha de procurarnos diferenciación respecto a otros y, sobre todo, satisfacer la necesidad del cliente, al ser ésta la mejor y casi única garantía de competitividad y supervivencia en un escenario donde las diferencias con los países emergentes se reducen a marchas forzadas.

Importantes también las referencias del autor a la obligada colaboración entre las propias PYMES para superar sus limitaciones, además de la necesidad de cultivar el espíritu emprendedor dentro de las empresas, fomentando cualidades, entornos y principios que lo favorezcan, desde una perspectiva global, identificando oportunidades, liderando transformaciones, generando equipos e interrelaciones entre las personas de las organizaciones, con planes de internacionalización, liderazgo y gestión del cambio para implantar una cultura corporativa en consonancia.

En definitiva, un libro que plantea estrategias, que concreta oportunidades, que aporta perspectivas y ofrece una útil herramienta de trabajo a la hora de planificar la incursión en los retos que, más que de futuro, se han convertido ya en presente para todas las empresas, pero muy especialmente para nuestras PYMES. Un libro pensado para aportar criterio, ayudar a las empresas y resolver algunas de las dudas que suelen presentarse a la hora de recorrer ese camino sin final que es la competitividad. Enhorabuena, amigo Jose Mari, por este otro gran trabajo que sumar a los anteriormente editados.

MIGUEL ÁNGEL LUJUA
Presidente de Confebask

Presentación

Cuando se habla de la internacionalización de la empresa española[1] se suele pensar en las empresas grandes. Así, este fin de semana[2] el periódico económico *Expansión* escribía:[3] *"La mitad de las empresas españolas del IBEX 35 logra más del 60% de las ventas en el exterior"*. Rara vez los medios de comunicación y los libros de *management* miden o analizan un fenómeno económico[4] a partir de las pequeñas y medianas empresas (PYMES),[5] que constituyen el tejido empresarial de cualquier economía y que, en número, suponen más el 99% de las empresas. Por eso, **este libro se centra en las PYMES**. PYMES son los casos analizados[6] y PYMES son las principales destinatarias del mismo.

Además, **este libro no pretende ser un manual para iniciarse en la exportación.** Afortunadamente, hoy en día existen numerosos manuales, más o menos prácticos, públicos[7] y privados,[8] para iniciarse en la exportación o en la internacionalización. Por tanto, entendemos que en nuestro entorno este papel ya está suficientemente cubierto. Sin embargo, no encontramos libros que, dirigidos a las PYMES, traten de **ilustrarles** sobre cómo internacionalizarse, les **muestren planes de internacionalización** y, sobre todo, presenten empresas próximas que lo están haciendo satisfactoriamente. **Por**

---

[1] O, a este efecto, de la de cualquier otro país.
[2] En el que estamos dando los últimos retoques a este libro.
[3] Página 3 del *Expansión* correspondiente al viernes 3 y sábado 4 de abril de 2015.
[4] Como la internacionalización de las empresas, en este caso.
[5] Según la Comisión Europea, una empresa se considera PYME (microempresa, pequeña o mediana) si cumple estos requisitos: el número de trabajadores es inferior a 50 y el volumen de negocio es inferior a 50 millones de euros o el balance general no supera los 43 millones de euros.
[6] Es más, ninguno de los casos expuestos supera los 30 millones de euros. Es decir, bastante por debajo del rango superior marcado por la Comisión Europea.
[7] Entre los que destacan los del ICEX. Por ejemplo, "Pasaporte al exterior".
[8] Ortega, A. y Espinosa, J.L. (2015) es uno de ellos.

ello, *Plan de internacionalización de la PYME en la práctica* **pretende ser un libro que ayude a los directivos de las PYMES a internacionalizarse.** Y para ello el libro presenta:

- Un capítulo introductorio (**capítulo 1**) que nos recuerda la **necesidad** de internacionalizarse y cómo ya hay muchas PYMES que lo están haciendo satisfactoriamente.

- El **capítulo 2** pretende distinguir entre exportación e internacionalización, presenta el alcance de esta última, esboza el contenido de una estrategia de internacionalización y muestra el contenido de un **plan de internacionalización**.

- Los **capítulos 3, 4, 5 y 6 presentan cuatro casos de PYMES** que están en situaciones muy distintas en cuanto a año de nacimiento, tamaño, sector de actividad, hito en cuanto a internacionalización y alcance de la misma. Por ejemplo:

  - En el **capítulo 3** presentamos la internacionalización de **Centork**, una empresa industrial, creada en 2002, que tiene producto propio y que, facturando unos 4 millones de euros, el 80% proviene del exterior y ahora está integrada en un grupo multinacional.

  - En el **capítulo 4** mostramos el caso de **Ternua Group**, una empresa de artículos deportivos, cuya matriz data de 1989, que nace con un enfoque local, que inicia su internacionalización para conseguir lo que no logra en su mercado interior, que para luchar con multinacionales de la talla de Adidas y Nike ha encontrado sus nichos de mercado, y que factura unos 30 millones de euros, de los que el 33% proviene del exterior.

  - El **capítulo 5** presenta el caso de **EGA Master,** que nace en 1990 y que, a diferencia de la mayoría de empresas, se posiciona como empresa internacional (que luego trata de "nacionalizarse"), que produciendo y comercializando herramienta de mano factura unos 22 millones de euros, de los cuales el 86% proviene de más de 150 países de los cinco continentes, que cuenta con filiales en cuatro de ellos, y que el 40% lo obtiene en mercados emergentes.

  - El **capítulo 6** muestra el caso de una *start up* (**Nire iHealth**), que nace en diciembre de 2013, con un planteamiento global, que en 2014 facturó en Colombia menos de 50.000€, y que su plan de internacionalización contempla para los próximos años varios miles de millones de euros, con soluciones de autogestión de la salud, basadas en la prevención.[9]

- Acabaremos el libro con el capítulo 7, dedicado a unas reflexiones finales sobre la importancia de una cultura empresarial "nueva" para tener éxito en la

---

[9] Se habrá comprobado que la media de las empresas analizadas, a pesar de ser PYMES, destinan un 75% de sus ventas al exterior. Por encima de la media de las empresas del IBEX 35.

internacionalización. Un mensaje destacado será que **el emprendimiento es clave en la internacionalización de las PYMES.** Todo ello sin olvidarnos de recordar al lector los innumerables medios de apoyo con los que hoy se cuenta para esta apasionante tarea.

Quiero expresar mi más sincero y cordial agradecimiento a las **empresas y personas** que con su amabilidad y generosidad han colaborado o permitido la publicación de los siguientes casos: Centork (Jesús Mª y Paco Lazcano), Ternua Group (Jesús Anduaga y Jokin Umérez), EGA Master (Aner Garmendia) y Nire iHealth (Txema Arizaga y Txaber Gandiaga). Pero todo lo que le voy a mostrar lo he aprendido de PYMES que a lo largo de mi carrera profesional han confiado en mí para abordar su internacionalización en:

- Sus **planes estratégicos**: Ikerlan, EITE, Escuela de Armería, Ibai-Arte / Ayuntamiento de Mondragón, CEIT (1994 y 2000), Lagun Aro (1994 y 2000), LKS Consultores (1996 y 1998), Bilore, Cooperativas de Castilla La Mancha, Papelera Tolosana (1996 y 1999), Parque Tecnológico de Zamudio, Mondragón Unibertsitatea, Bide Onera, Cetenasa (1996 y 2000), Gas de Euskadi, Corporación Mondragón, Centralair, La Casa del Café, Alkain, Real Sociedad, S.A.D., SDV Consultores, IRGUBA, Ulma Carretillas, Centro Tecnológico de Componentes (Cantabria), Ulma Handling Systems (2002, 2004, 2007 y 2010), Krafft, Beissier, Grupo Martínez Bujanda, Pakea-Mutualia, TESA, Azbe, Cámara de Gipuzkoa, Elkargi, Goazen, Alfa, AMIG, AMVISA (2008 y 2012), APNABI, Ayestarán, Bayón, Cascajares, Consejo de Cámaras de la Comunidad Valenciana, Cluster MLC-ITS Euskadi (2008, 2010 y 2012), Eleka, Elhuyar, Guitrans, Herza IVC, Igarri, Ikusi-Ángel Iglesias, Import Arrasate (2007 y 2011), Irudek, Kraft, Lantegi Batuak, Mutualia, Orfeón Donostiarra, Grupo Ramón Vizcaíno, Rochman, SEUR España, Ulma Agrícola, Grupo ACR, Alinaco, AMPO-Poyam, Andía Group, Apex, Centork, Osakidetza (CGOM), Etxebide, Grupo Vascongada, Fundar, Guitrans, Gobierno Vasco (varios Departamentos), Ingemar, Fundación Kalitatea, Kukuxumusu, Lagun-Aro, Langune, Lex Nova, Neiker-Tecnalia, Pakea Mutualidad de Seguros, Piensos Unzué, RPK, Real Sociedad de Fútbol, Sociedad Cooperativa de Sestao, Sic Lázaro, Sto Ibérica, Cámara de Comercio, Industria y Navegación de Bilbao, Bacalaos Azkuene, MCD, Juvé y Camps, ESLE, Alinaco, SP Mutualia, Ternua Group, Repsol, Ulma Embedded Solutions, Bankinter, Papeles El Carmen y Nire iHealth.

- Sus **planes de marketing**: Caja Rural de Navarra, Lealde, Kide, Jiménez Miguel-Zapatillas "Victoria", Eroski, Niessen, Orona, Publis, Lascaray-"Lea", Caja General de Granada, Kaiku, Orbinox, Ikerlan, Zubiola, Kendu, Latz, Doiki, Egurko, Ortza, Postensa, Labein, Grandes Vinos y Viñedos (Instituto Aragonés de Fomento), Naturgas, Iparlat, Gas de Euskadi, San Viator, Irizar, Grupo Ulma, Cetenasa, TESA – Assa Abloy, Cámara de Comercio, Industria y Navegación de Bilbao, Pakea – Mutualia, Elkargi, Seur España, Grupo Ramón Vizcaíno, Import Arrasate, SDV Consultores, AMIG, Cascajares, Rochman, Grupo AN (División

Avícola y Dantza), Euskaltel, Corporación Mondragón, Centork Valve Control, Bodegas Príncipe de Viana, Comercial Hostelera del Norte, Tknika, Astore, Ternua, IASA (plan de marketing on line 2012), El Corte Inglés y Juvé y Camps.

Y, por supuesto, **a mi mujer, Pilar; a mis hijas, Leire y Olga; y a mi nieto, Ander,** por su comprensión y apoyo incondicional.

JOSÉ Mª SAINZ DE VICUÑA ANCÍN
sdvicuna@sdvconsultores.com
Abril de 2015

Capítulo 1

¿Por qué internacionalizar la empresa?

"Cada vez hay que correr más para estar en el mismo sitio".

Proverbio chino

1.1. El entorno lo exige

Lejos quedan los años del siglo pasado en los que nuestra visión del mundo era[1] a todas luces miope, por tratarse de una visión local o, en el mejor de los casos, regional. Años en los que incurríamos en errores tan graves como pensar que los países emergentes deberían ir aprendiendo de nuestra cultura corporativa y de nuestra forma de hacer negocios, porque ¿cómo íbamos a pensar que el Occidente desarrollado tenía algo que aprender de ellos en *management,* teniendo en cuenta su subdesarrollo? Pues bien, nos enfrentamos a un **nuevo escenario** en el que prestigiosas revistas como *The Economist*[2] están hablando de *el mundo al revés* y de que tenemos mucho que aprender de los países emergentes, sobre todo de los asiáticos. Y, aunque la sintonía nos suene

---

[1] Sin darnos cuenta.
[2] El contenido de este apartado está inspirado en la lectura de la revista *The Economist,* págs. 3 a 16 del *Special Report: "Innovation in emerging markets. The world turned upside down"*, volumen 395, número 8678, de 17 de abril de 2010.

a *dejà vue*, el mensaje que trata de trasmitir es realmente distinto, como pretendemos esbozarlo a continuación:

- Los países emergentes que, tradicionalmente, eran una fuente de mano de obra barata, ahora compiten con los países ricos en innovación en gestión[3] y en aquellas materias que creemos que van a ser feudo nuestro,[4] por ejemplo la enseñanza del *management*[5] o la creación de nuevos modelos de negocio.[6]

- Según el *United Nations World Investment Report,* hay unas 21.500 multinacionales cuya base está en los denominados países emergentes.[7] Sólo los países BRIC han cuadruplicado entre 2006 y 2008 su presencia en la lista *Financial Times 500,* pasando de 15 a 62.

- Se espera que aproximadamente el 70% del crecimiento mundial de los próximos años provenga de los países emergentes, pero el 40% será sólo de dos países: China e India.

- Las empresas que forman parte de la lista *Fortune 500* tienen un centenar de centros de I+D en China y 65 en la India, con inversiones millonarias, como las realizadas, por ejemplo, por General Electric y Cisco en la India, o Microsoft en China.

- El talento es abundante y barato en esos países: en China, cada año se gradúan más de 5 millones de personas y unos 3 millones en India.

- En los países emergentes, en las próximas décadas, cientos de millones de personas pasarán a conformar una clase media con importante poder adquisitivo.

- Hasta ahora, la globalización estaba liderada por Occidente y se imponía en el resto del mundo, pero esto está cambiando a pasos agigantados. Arcelor Mital (India) y Cemex (México) son ejemplos palpables en sus respectivos sectores. Algunas eran desconocidas (Arcelor Mital) o no existían (Lenovo) en 1990.

- Como muestra de los cambios en las reglas de juego cabe citar:

  - La innovación frugal que se desarrolla en China e India, por ejemplo, rompe muchos de los paradigmas de Occidente.

  - No es tan fácil acceder a los consumidores de los mercados emergentes, entre otras cosas porque son mucho más variados y volátiles que los de los

---

[3] Innovación disruptiva, en la mayor parte de los casos.

[4] Nada nuevo en el mundo, porque eso mismo pasó con Japón a partir de los años sesenta, que se convirtió en la segunda potencia mundial, inventó el *lean manufacturing*, etc.

[5] Con la aparición de grandes consultores, *Business Schools* y *gurús* como Prahalad.

[6] Conglomerados muy diversificados, potentes empresas estatales con tradiciones ancestrales, la aplicación de las técnicas de producción masivas a servicios sofisticados, como por ejemplo el *outsourcing*, las TICs o los servicios jurídicos, o extendiendo las prácticas revolucionarias de fabricación de Henry Ford a la cirugía de corazón o de los ojos.

[7] Por ejemplo, la india *Bharat Forge*, la china BYD en baterías o la brasileña *Embraer* en aviones.

mercados maduros de Occidente, su lealtad a las marcas es muy inferior, o porque resulta muy difícil atacar al mismo tiempo los segmentos alto y bajo.

– Las motivaciones por las que adquieren empresas de Occidente es distinta. No se trata de hacerlo para reducir costes sino para adquirir know how, habilidades, marcas y canales de distribución. Es decir, están adquiriendo la "maquinaria" más sofisticada que puede ofrecer Occidente.

A todo ello hay que añadir que, en unos quince años, la hegemonía mundial que todavía tiene Estados Unidos (23% del PIB mundial), China (17%), la zona euro (17%), Japón (7%) e India (7%) cambiará, dando paso al liderazgo mundial de China (28% del PIB mundial), Estados Unidos (18%), zona euro (12%), India (11%) y Japón (4%).

En este marco, cabe esperar que todo este tipo de movimientos, tendencias, creatividad, innovaciones y nuevos modelos de negocio que se están dando en este nuevo escenario produzca importantes cambios en los países occidentales. Y, en el terreno microeconómico, que exista la necesidad imperiosa de muchas empresas occidentales de pensar estratégicamente y planificar su futuro para ser competitivas en mercados cada vez más concentrados y globales. Porque en este entorno socioeconómico los directivos tienen que seguir remando contra viento y marea, ya que no se pueden permitir el lujo de no tomar decisiones hasta esperar que el viento les sea favorable.

Pues bien, en momentos como los actuales, en los que los cambios son tan excepcionales, se requiere adoptar medidas también excepcionales (gráfico 1.1). Estas medidas, normalmente, se abordan en el contexto de un plan estratégico y se detallan en los planes funcionales que lo desarrollan.[8]

Es en épocas como ésta cuando muchos de nosotros somos testigos de los importantes esfuerzos que todavía están realizando los equipos de dirección por "mantener el tipo" o por evitar el acogerse a un expediente de regulación de empleo o, en el peor de los casos, el propio cierre de la empresa. En este contexto, la sensación de impotencia de las empresas se agudiza y sus directivos frecuentemente se preguntan cómo pueden hacer frente a este nuevo entorno y si existe alguna "receta mágica" que pueda ayudar a afrontarlo. Por supuesto, no creemos en "recetas mágicas" y sí en la capacidad de las empresas de reinventarse. Pero ¿cómo hace uno para reinventarse? ¿Estamos preparados para ello? ¿Sabemos cómo hacerlo?

En el gráfico 1.1 recogemos seis posibles líneas de actuación que consideramos efectivas a la hora de lidiar con una situación como la descrita. Tal y como ilustra el esquema de celdas, cada línea de actuación puede tener un efecto positivo, pero será la aplicación simultánea de varias de las líneas lo que conllevará un mayor impacto en los resultados empresariales. A continuación nos iremos deteniendo en cada una de estas líneas de actuación:

---

[8] Por ejemplo, en un plan de internacionalización.

GRÁFICO 1.1.
POSIBLES LÍNEAS DE ACTUACIÓN

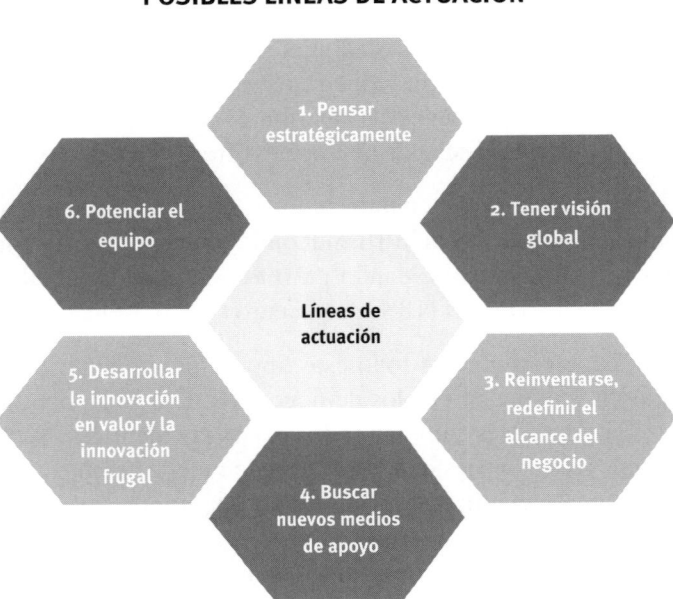

1.1.1. Pensar estratégicamente

"No hay ningún viento favorable para el que no sabe a qué puerto se dirige", decía Arthur Schopenhauer. Porque la capacidad de respuesta a situaciones imprevistas no se improvisa. Este argumento no sólo se sustenta en el hecho de que las empresas punteras de los mercados mundiales practican el pensamiento estratégico, sino también en que lo importante de la planificación no es el plan en sí, sino el pensamiento estratégico que hay detrás de un buen proceso de reflexión. Este proceso obliga a la dirección a practicar el pensamiento estratégico y conduce al equipo de dirección a una reflexión estratégica de la que, entre otras cosas, se obtiene un conocimiento mucho más exhaustivo de la propia realidad de la empresa, de sus potencialidades y debilidades, de sus competidores, de su entorno y de sus clientes.

El pensamiento estratégico define qué dirección futura tenemos que tomar para conseguir lo que queremos. Para lo cual es preciso preguntarse: ¿dónde estaba ayer?, ¿dónde estoy hoy?, ¿dónde quiero estar mañana?, ¿qué haré para conseguirlo? Cuestiones estas que uno debe plantearse en todos los órdenes de la vida, incluso de su vida interior, como desde hace siglos se viene haciendo en los ignacianos ejercicios espirituales. El pensamiento estratégico es como ver una película desde el final. Sin embargo, la película todavía no existe, uno mismo la deberá crear.

El pensamiento estratégico surge del pensamiento reflexivo. Partiendo del ideal futuro debemos aflorar el pensamiento reflexivo (con sus fases de observación, problema, hipótesis, selección y ejecución), que lo convierte en pensamiento estratégico, en el que la razón se combina con la pasión.

Indudablemente, el pensamiento estratégico tiene su importancia porque es el cimiento para la toma de decisiones estratégicas.[9] Sin este cimiento, las acciones serán dispersas e inconsistentes a medio y largo plazo, como ocurre en muchas empresas en las que la dirección carece de esta competencia. El hábito de pensar continuamente en el significado futuro de lo que estamos haciendo es una práctica que conduce a la eficacia. Sirve para resolver problemas, para intentar ganar guerras. Puede llegar a marcar una palpable diferencia.

Muchas veces, al ver tomar decisiones a directivos, observamos claramente la diferencia en el orden secuencial que sigue quien piensa estratégicamente y quien lo hace de forma operativa. Un ejemplo de la lógica que se sigue en el pensamiento operativo es la que tiene el reestructurador: primero actúa, lo hace con unos objetivos concretos (normalmente de corto alcance) y, en el mejor de los casos, intentando responder a una misión y visión que todavía no ha definido. Por el contrario, quien piensa estratégicamente parte de la misión o de la visión para, posteriormente, definir unos objetivos a largo plazo y, para conseguirlos, los despliega en estrategias y objetivos anualizados, pasando finalmente a la acción.

El pensamiento estratégico es el campo para soñar el futuro sin que nos limiten los resultados a alcanzar. De ahí que no sólo es aceptable, sino también deseable, planificar lo que a usted le gustaría que se convirtiera su empresa, sin preocuparse (de momento) de si es factible o no. Por ello se dice que el pensamiento estratégico es intuitivo. Lo cual quiere decir que un empresario sin formación académica de nivel puede pensar más estratégicamente que otra persona con una formación de máximo nivel en la mejor *Business School*. Ello nos hace pensar que Antoine de Saint Exupery estaba en lo cierto cuando señalaba que *"el mundo entero se aparta cuando ve pasar a un hombre que sabe adónde va"*.

Se suelen escuchar ciertas falacias cuando se comparan los comportamientos de distintos profesionales. A unos se les tacha de teóricos o intelectuales mientras que a otros, orgullosamente, se les tilda de personas de acción. Ambos son necesarios para llegar al éxito: el intelectual trabaja con palabras e ideas; la persona de acción lo hace con personas y cosas. Es como contraponer la reflexión y la acción: nunca una sin la otra. En nuestro caso, el estratega debe lograr un pensamiento estratégico en el cual la acción garantice que la reflexión se cumpla y que la reflexión incorpore la lógica de la acción.

De ahí que si observamos detenidamente el mundo en el que vivimos, todas las cosas "se crean dos veces": siempre hay una creación mental y luego una creación física. Antes de emprender un viaje, fijamos nuestro destino y nuestra hoja de ruta. Los discursos se escriben antes de pronunciarlos. Los edificios se diseñan antes de construirlos. Y,

---

[9] Y, por supuesto, de las decisiones estratégicas relativas a la internacionalización de su empresa, estén o no soportadas en un plan de internacionalización.

por supuesto, los libros se conciben y definen antes de empezar a escribirlos. Hay que estar seguros de que el plano, la primera creación, el diseño, el boceto, o el guión, es lo que realmente uno quiere. Primero la reflexión y luego la acción.

1.1.2. Visión global o internacional

"Lo que nos limita no son nuestras habilidades sino nuestra visión", reza una afirmación anónima. Muchas empresas, y en especial las PYMES, se cierran puertas limitando su ámbito de actuación al mercado local. Este tipo de decisiones estratégicas pueden venir motivadas por una falta de autoconfianza o de visión empresarial.

En efecto, no se puede obviar que los mercados tienden a ser globales y que la competitividad y el crecimiento de las empresas pueden estar, en gran medida, ligados a su expansión en los mercados internacionales y a la obtención de la masa crítica que necesita la empresa en su mercado relevante. Además, se sabe que, en los próximos veinte años, el mayor crecimiento de la demanda en valores absolutos se dará en los mercados emergentes.[10]

La empresa que opte decididamente por la internacionalización, debe tener en cuenta que es necesario dedicar tiempo a prepararse para dar este salto, explorando el país, detectando oportunidades y problemas potenciales, identificando posibles socios y diseñando la mejor manera de cubrir este mercado. Así mismo, la paciencia es básica, ya que, según un estudio de Casa Asia y la consultora Everis, una empresa financiera puede tardar una media de tres años en implantarse en Asia, mientras que una tecnológica sólo necesitaría un año y medio y, en el extremo contrario, una farmacéutica requeriría unos once años.[11] Por ello, es conveniente contemplar el negocio desde una perspectiva global, aun conservando el "alma local" de la empresa.

En el entorno actual, el pensamiento estratégico supone tener una **visión** global, o al menos **internacional**, de los mercados, de los clientes potenciales, de la ubicación de las plantas de producción, de los centros logísticos y, por qué no, de los centros tecnológicos con los que trabajar. Esta visión global, que deberá ser coherente con la globalización de los mercados, no implica que una empresa –y menos una PYME– trabaje sólo con recursos propios. Bien al contrario, debe necesariamente estar **basada en alianzas y cooperaciones** diversas,[12] de tal forma que:

---

[10] Vid. Gupta, K. y Haiyan W. (2010): *"R&D points the way forward China"*, China Daily Hong Kong Edition, 16 de agosto, pág. 17.

[11] Casa Asia y Everis (2006): *Estudio sobre la presencia empresarial española en Asia 2006* [online]. Disponible en: http://www.casaasia.es/documentos/estudio_asia_everis.pdf (consulta realizada el 27 de julio de 2010).

[12] Según *Expansión* del 3-4 de abril de 2015 (pág. 4), *"el enorme tirón de las empresas españolas entre los años 2004 y 2014 ha estado apoyado en **adquisiciones**, pedidos, contratos y aperturas en el extranjero (...) En el Santander se debió a las compras de las británicas Abbey y Alliance & Leicester, la del Banco Real de Brasil y la del estadounidense Soverein. En ACS el impulso se produjo con la adquisición de la alemana Hochtief y la australiana Leighton. Telefónica duplicó su peso internacional tras comprar la británica O2 –que ahora ha vendido a*

- Aunque persigamos conquistar clientes de todo el mundo, la estrategia comercial esté **sustentada sobre el crecimiento orgánico** (red comercial, delegaciones u oficinas comerciales **propias**, desplegadas en los países estratégicos) **y el crecimiento externo** (ubicaciones productivas, logísticas, comerciales y el personal **de nuestros aliados**).

- No nos olvidemos de que **la innovación más disruptiva se está dando en los países emergentes**, por lo que la innovación tecnológica que necesitemos la debemos adquirir de centros tecnológicos de diversas partes del mundo.

- Utilicemos las alianzas no sólo para reducir costes, sino también para adquirir clientes, mercados, *know-how*, canales de distribución, etc.

Para ello, debemos ser capaces de dar un salto cualitativo en nuestra visión del mundo y ser conscientes de que los recursos pueden ser más productivos fuera de nuestras fronteras[13] que aquí.[14] Y, por supuesto, sin olvidar que lo que es válido para España no necesariamente lo es para Estados Unidos, Latinoamérica, India, China u otras partes del mundo.

1.1.3. Reinventarse: redefinir el negocio

Nos gusta recordar la siguiente frase de Oliver W. Holmes: *"La mente que se ha expandido por una nueva idea nunca regresa a su dimensión original"*. Porque épocas como las actuales pueden ser un momento perfecto para que una empresa se replantee su enfoque estratégico, **innovando en la estrategia y/o en el modelo de negocio**. Precisamente, ésta es una de las labores que en los últimos años más nos han demandado muchas empresas.

Replantearse el negocio y redefinirlo en función de las potencialidades del mercado y de la empresa es un ejercicio de reflexión muy aconsejable cada cierto tiempo y que puede expandir, de forma notable, los horizontes de la actividad de una empresa, desdibujando límites que se habían ido marcando, probablemente, sin ser muy conscientes de ello. Para ello, acostumbramos[15] a abordar esta reflexión a partir del esquema representado en el gráfico 1.2, que plantea la actividad de la empresa desde las tres principales dimensiones de un negocio:

- **Qué** hace la empresa: el servicio o función de base que aporta el producto[16] al cliente.

Hutchison– y la brasileña Vivo, un mercado donde se acaba de reforzar con la compra de GTV. E Iberdrola tras comprar la escocesa Scottish Power, la estadounidense Energy East y la brasileña Elektro."

[13] Por ejemplo, en los países BRIC.

[14] No sólo porque son más baratos sino, sobre todo, porque aportan igual o mayor valor que los producidos en Occidente.

[15] Víd. Sainz de Vicuña, JMª (2015).

[16] Entendido como producto/servicio.

- **Cómo** presta ese servicio o función la empresa: qué tecnologías emplea para la producción / ejecución de dicha función.

- **A quién** se dirige la empresa: cuál es el mercado objetivo o conjunto de grupos de compradores a los que presta dicha función.

GRÁFICO 1.2.
TRES DIMENSIONES CLAVE PARA REDEFINIR EL NEGOCIO

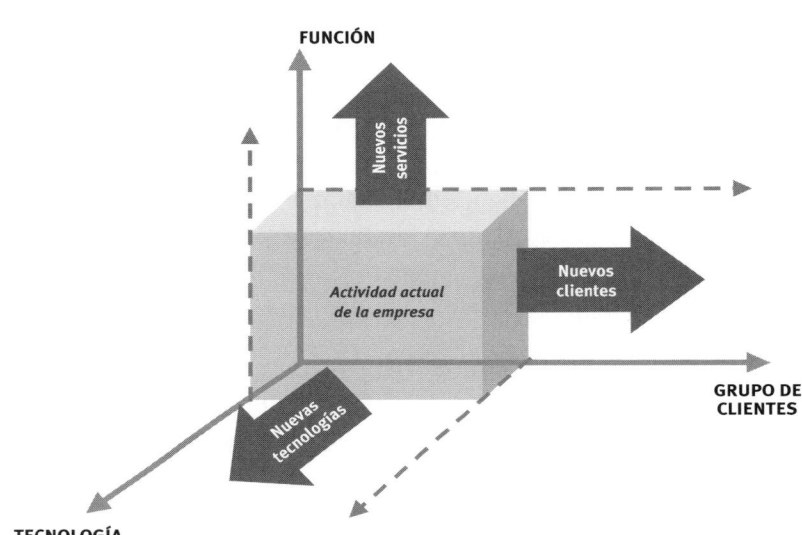

Son estos vectores los que deben guiar la definición del negocio de la empresa: el servicio o la función base aportada por el producto al cliente (qué); las tecnologías existentes, susceptibles de producir la función para el cliente (cómo), y los diferentes grupos de compradores que forman parte del mercado objetivo de nuestra empresa (a quién). Englobamos así funciones y grupos de consumidores muy variados entre los que no existe relación sectorial. Piénsese, por ejemplo, en el sector de fabricantes de vidrio. Estos compiten en mercados tan diferentes como el lácteo, el de refrescos, el del vino, el de recipientes para productos medicinales, etc. Centrándonos en el lácteo, es más lógico pensar que, por ejemplo, Vidrala –fabricante de envases de vidrio– compite con fabricantes de envases de cartón como Tetrapak[17] y con fabricantes de envases de plástico y metálicos, que mirar sólo a otros fabricantes del mismo sector. Si así lo hiciera, podría llegar a la conclusión de que es el líder del mercado, cuando probablemente su participación en el mercado de envases para productos lácteos no llegue en estos momentos al uno por ciento. Las repercusiones de este grave error en sus planteamientos estratégicos pueden ser de antología del disparate. Por tanto, este planteamiento se apoya en las consideraciones siguientes:

---

[17] Empresa líder en envases de cartón tipo brik.

- Todo producto se corresponde para el usuario con un servicio o una función de base, que se puede ligar a una necesidad genérica. Además, también le servirá para adoptar determinadas decisiones de crecimiento. Así, Coca-Cola utilizó este vector para explotar nuevas oportunidades de negocio al modificar su negocio redefiniéndolo como "bebidas no alcohólicas" en vez de "refrescos de cola".

- La función de base puede ser producida de varias maneras por el productor, ya sea con tecnologías diferentes, ya sea por la combinación de características técnicas o de medios organizacionales diferentes. Estas diferencias en los procesos de producción de la función o del servicio buscado dan a los productos unos atributos distintos, los cuales aportan a los usuarios ventajas diferentes.

- Algunos grupos de compradores, individuos u organizaciones, buscan ventajas específicas y otorgan por ello sus preferencias a los productos que constituyen conjuntos de atributos conformes a sus expectativas. Este vector es uno de los más utilizados en estos momentos de globalización de los mercados para detectar nuevas oportunidades de crecimiento, redefiniendo el ámbito geográfico del grupo de clientes a los que ha decidido dirigirse la empresa. McDonald's, Telefónica, Santander, Endesa, BBVA, Sabadell e Irizar son algunos de los múltiples ejemplos de empresas que han redefinido su negocio a partir de esta dimensión.

Con este esquema, la empresa puede decidir redefinir su negocio[18] a partir de la identificación de la dimensión o dimensiones que domina y las potencialidades que ofrece el propio mercado. El gráfico 1.3 ilustra cómo definir, a partir de estos tres ejes, el negocio de Autoplás, empresa de servofrenos y depresores. Es más, a través de las líneas de puntos, se puede observar cómo esta empresa tuvo que redefinir su negocio para sobrevivir, en los años ochenta, cuando su mercado se volvió totalmente hostil para las empresas nacionales, al incorporar estos elementos del sistema de frenado en origen, en los vehículos ensamblados por los fabricantes de automoción. Como su principal punto fuerte era la tecnología de transformación de plásticos, mantuvo este pilar de su negocio y lo redefinió con otros grupos de clientes, de su sector de actividad[19] y de otros nuevos,[20] que buscaran en sus productos "seguridad y protección", hasta que derivó en dos unidades de negocio: fabricación de plásticos, piezas y recambios para automoción; y elementos de iluminación.[21]

---

[18] Esto es, ampliar o acotar su ámbito de actuación.
[19] Servofrenos para automoción.
[20] Utillaje para máquina herramienta, iluminación urbana, etc.
[21] Farolas para alumbrado público.

GRÁFICO 1.3.
REDEFINICIÓN DEL NEGOCIO DE AUTOPLÁS

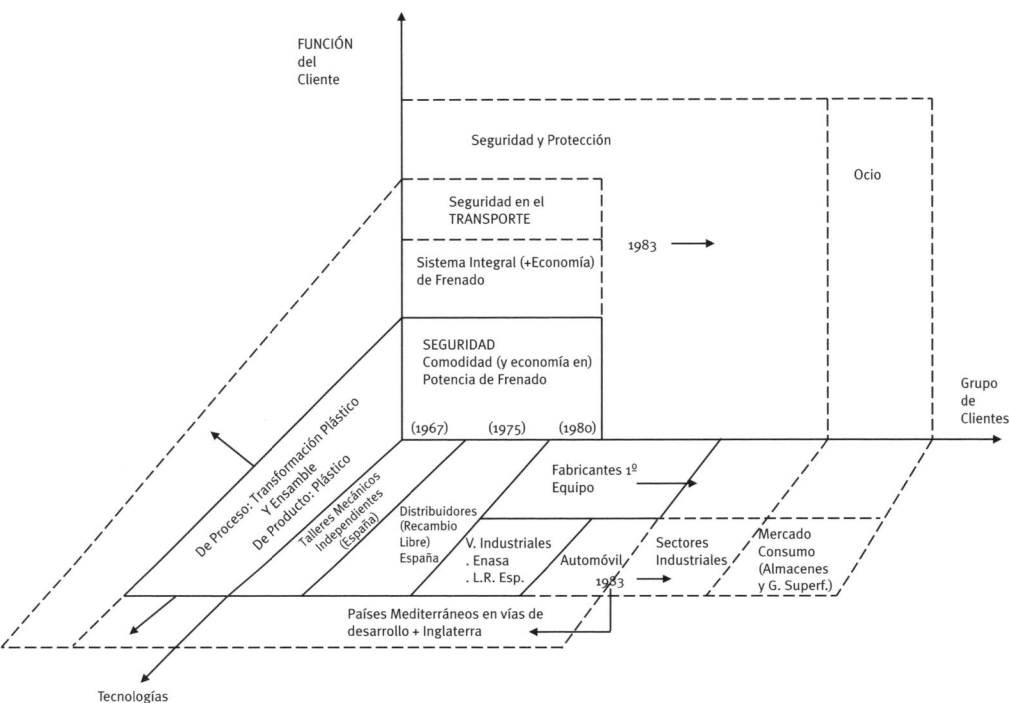

1.1.4. Búsqueda de aliados como importante medio de apoyo

La máxima de Esopo *"La unión hace la fuerza"* la tenemos tan interiorizada en nuestras vidas que la hemos hecho nuestra. Sin embargo, en el mundo empresarial necesitamos interiorizarla mucho más[22] abrazando decididamente esta opción estratégica de contar con medios de apoyo externos que, según los estudios empíricos disponibles, proporciona índices de satisfacción altos entre sus usuarios.[23] No en vano, el modelo EFQM de excelencia en la gestión contempla las "alianzas y recursos" como uno de los agentes que hay que gestionar para conseguir resultados excelentes (ver gráfico 1.4).

El desarrollo de alianzas operativas y estratégicas es una opción al alcance de toda empresa (ver ejemplos diversos en el cuadro 1.1) y muy recomendable para limitar los riesgos a la hora de realizar inversiones, facilitar la entrada en nuevos mercados, acceder a nuevas tecnologías, fortalecer la imagen de marca, etc. Y ello a pesar de que en

---

[22] Y sobre todo cuando el tamaño de la empresa es pequeño.

[23] Según un estudio de *Bain & Co.* realizado con una muestra internacional de directivos, las "alianzas estratégicas y cooperación" es una herramienta utilizada por el 63% de los entrevistados y –en una escala de 1 a 5– le dan un índice de satisfacción del 3,95 (de los más altos entre las herramientas de gestión analizadas).

todo proceso de alianza el éxito es incierto, aunque está en nuestras manos el propiciarlo mediante una adecuada definición de la estrategia de crecimiento, un perfil certero del aliado ideal y el apoyo de un facilitador externo, que nos ayude a atravesar con éxito el resto de los hitos de la negociación.[24]

GRÁFICO 1.4.
LAS ALIANZAS EN EL MODELO EFQM DE EXCELENCIA EN LA GESTIÓN

Puntuación total: 1.000 puntos

Para ello, es recomendable que la empresa se asegure de incorporar a su actividad la función de desarrollo corporativo, es decir, una función que se encargue de la identificación, valoración y liderazgo de alternativas de crecimiento empresarial. Lo más habitual suele ser que esta función recaiga en la dirección general o en el equipo del proceso correspondiente (normalmente liderado desde gerencia), pero hay empresas donde, por su importancia estratégica o porque su tamaño lo permite, pueden llegar a contar con una persona (o incluso un departamento) dedicada a esta labor.

---

[24] En Sainz de Vicuña (2014b) se profundiza en lo que acabamos de exponer.

CUADRO 1.1.
EJEMPLOS DE ALIANZAS EN DISTINTOS SECTORES

	DEPORTES	TRANSPORTE	AUTOMÓVIL	OTROS SECTORES
Empresas del sector entre sí	Real Sociedad - Eibar	One-World Scania - Irizar FCC - Veolia Geopost - SEUR	Fiat – General Motors General Electric – Chrysler General Motors – Cikautxo – Paranoa Promoauto	IBM – i2 Technologies – Ariba IBM – Microsoft
Empresas tecnológicas con empresas del sector	Red Sportis Proyecto SATED Proyecto SPORT - LIVE Proyecto SITADE		Bang & Olufsen – Visteon Fujitsu LTD – Visteon Honda – Corporación Nipona de Tecnología y Telegrafía NTT PSA Peugeot – Grupo Vivendi Volvo – MSN Microsoft – Blaupunkt	BBVA – Telefónica Gamesa – Pioneer Volando.com – Sabre Holdings Corporation
Empresas tecnológicas entre sí para dar servicio a ese sector	Proyecto "Auditoría de diseño de material y equipamiento deportivo"	Airbus Proyecto MOCONT Proyecto MISTIC	USA Digital Radio – Lucent Digital Radio CIDAUT – Ministerio de Fomento	Tecnalia IK4 Siemens - ITBA

Nota: En el capítulo 1 de Sainz de Vicuña (2014b) podrá encontrar más información sobre estas alianzas.

1.1.5. Desarrollar y redefinir la innovación

"Las cosas sólo tienen el valor que nosotros les damos", decía Molière.

El modo en el que las compañías de todo el mundo están enfocando la innovación está cambiando a pasos agigantados. Tras una época en la que el término innovación se asociaba únicamente al ámbito tecnológico, actualmente la actividad innovadora de las empresas está siendo abordada desde una perspectiva más amplia. Ejemplos de ello son la innovación de 360°, la innovación frugal y la innovación en valor:

• La aparición de fuerzas disruptivas, tales como el avance exponencial de las nuevas tecnologías, la creciente transparencia impulsada por Internet y la aparición de nuevos competidores procedentes de países emergentes, hace que la innovación deba ser entendida como un proceso que abarque todos los eslabones y actividades de la cadena de valor, lo que se conoce como **innovación de 360°**.[25]

[25] Vid. Gupta, K. y Haiyan W. (2010): *"R&D points the way forward China"*, China Daily Hong Kong Edition, 16 de agosto, pág. 17.

- Por su parte, la denominada **innovación frugal** busca eliminar todo aquello que no aporta valor al cliente, simplificar los productos, utilizar materiales más baratos, replantearse todo el proceso productivo y/o el modelo de negocio, trabajar en red para reducir costes y aumentar la flexibilidad y (si fuera necesario) la copia inteligente a terceros. El concepto de innovación frugal[26] está muy alejado de la mente de nuestros directivos, presumiblemente porque en Occidente nadamos en la abundancia y desarrollamos productos y servicios para clientes y sociedades sin restricciones presupuestarias.[27]

- Buscando la **innovación en valor para el cliente**. No debemos confundir esta directriz estratégica con la búsqueda de la innovación en productos y servicios de alto valor económico (y, en consecuencia, de gran presupuesto). La innovación sólo resulta útil si se innova en valor para el cliente. Toda innovación debe partir de la voz del cliente, de sus expectativas, deseos, intereses y necesidades, con voluntad de aportarle un valor real (tangible o intangible). De ahí que sea conveniente recordar que *"la innovación en valor es la piedra angular de la estrategia del océano azul. La innovación sin valor tiende a basarse en la tecnología, en el concepto de ser pionera o futurista, lo que hace que termine yendo más allá de lo que los compradores están dispuestos a aceptar y a adquirir (…) La innovación en valor ocurre solamente cuando las empresas logran alinear la innovación con la utilidad, el precio y las posiciones de coste".*[28] En nuestra opinión, *Inditex, Nestlé, SEUR, el Circo del Sol, Pronovias, El Bulli, Chupa Chups, ISDIN, Angulas Aguinaga, García Carrión (Don Simón), Tino Stone Group* y el *Santander* son algunas de las empresas que se caracterizan por innovar en valor para el cliente. Lo que nos lleva a afirmar que se puede innovar en valor para el cliente con éxito sin grandes innovaciones tecnológicas.

- **Invirtiendo la cadena de valor** para ser competitivo, **si fuera necesario**. Por ejemplo, la multinacional brasileña *Embraer* adquiere muchas de sus piezas y componentes en países desarrollados de Occidente[29] y realiza el ensamblaje en Brasil, y no al revés, como estamos acostumbrados a plantearnos desde Occidente.

---

[26] *The Economist* se refiere a este tipo de innovación como *"reverse innovation"*, *"frugal innovation"* o *"constraint-based innovation"*.

[27] Inspirado en la lectura de la revista *The Economist*, pp. 3 a 16 del *Special Report*: *"Innovation in emerging markets. The World turned ápside down"*, volumen 395, número 8678, de 17 de abril de 2010.

[28] Según Kim, W. Chan y Renée Mauborgne (2005), pág. 31.

[29] Por ejemplo, en España.

CUADRO 1.2.
TIPOS DE INNOVACIONES EN EL ÁMBITO EMPRESARIAL

INNOVACIÓN EN PROCESO Y PRODUCTO		INNOVACIÓN EN MARKETING	INNOVACIÓN EN ORGANIZACIÓN
PROCESO	**PRODUCTO / SERVICIO**		
■ **Producción** ■ **Provisión producto o servicio**	■ **Especificaciones técnicas** ■ **Características funcionales** ■ **Componentes** ■ **Materiales** ■ **Software incorporado**	■ **Mercados** (incluye cambios en diseño y packaging) ■ **Segmentos** ■ **Precio / Promoción** ■ **Canales**	■ **Rutinas y procedimientos** (incluye la responsabilidad social corporativa y la gestión del conocimiento) ■ **Estructura organizativa** ■ **Relaciones externas** ✓ Alianzas (client / comp) ✓ Acuerdos (CCTT...) ✓ Integración (Prov.) ✓ Outsourcing y subcontratación (prov.)

Fuente: Interpretación de la 3ª edición del Manual de Oslo.

En cuanto a la perspectiva desde la que debemos contemplar la innovación, la OCDE ha señalado claramente los cuatro tipos de innovación que se pueden dar en el ámbito empresarial[30] (cuadro 1.2), distinguiendo entre innovación y actividades innovadoras:

- **Actividades innovadoras:** *"Son todas las operaciones científicas, tecnológicas, organizativas, financieras y comerciales que conducen, efectivamente, o tienen por objeto conducir, a la introducción de innovaciones".*

- **Innovación**: *"Es la introducción de un nuevo, o significativamente mejorado, producto (bien o servicio), de un proceso, de un nuevo método de comercialización o de un nuevo método organizativo, en las prácticas internas de la empresa, la organización del lugar de trabajo o las relaciones exteriores".*

A nuestro juicio, merece la pena recordar el caso **Inditex**, empresa española que en los últimos años ha dado un salto impresionante en su mercado relevante,[31] colocándose

---

[30] Según la OCDE, en el denominado Manual de Oslo, en su tercera edición.

[31] *Con una cifra de negocio, en 2014, de 18.117 millones de euros (un 8% más que en 2013), con más de 6.687 establecimientos, repartidos por 88 países (y empleaba a 137.057 personas), en cuatro continentes y que genera admiración incluso en los ejecutivos más sobresalientes. En el ejercicio 2015 Zara prevé lanzar la venta online en Taiwán, Hong Kong y Macao. La compañía inició la venta por Internet en 2007, con el lanzamiento de la tienda virtual de Zara Home. Hoy está presente en 27 mercados de los 88 que operan con tiendas físicas, pero el objetivo, señala Inditex, es "la expansión progresiva global de todas las cadenas". Zara sigue siendo, de lejos, la marca que más ventas aporta al grupo. El año pasado facturó 11.594 millones de euros. La joya de la corona de Inditex es la que más pesa en las ventas (supone casi el 64% del negocio), pero no la que más crece. Zara Home se disparó el 21%, hasta los 548 millones de euros y Oysho, la cadena destinada a la ropa interior, el 18%, hasta 416 millones. La única marca que registra peor resultado que el año anterior es Uterqüe. Esta línea de complementos tuvo ventas por valor de 68 millones, el 4,2% menos que en 2013 (según El País, 17 de marzo de 2015).*

como número uno mundial, apoyada en líneas de actuación como las citadas en este capítulo. Veamos, por ejemplo, lo que ha hecho en innovación:[32]

1º) Innovación en procesos, mediante:

- La transferencia de información continua y actualizada de las tiendas a la matriz: consigue que la producción se ajuste a la demanda existente y hace presente la voz del cliente desde el inicio del proceso productivo (desde el diseño).

- Sistemas de almacenaje automático en los centros logísticos de la compañía: permiten optimizar los mecanismos de producción y logística de la empresa.

- Un modelo de producción flexible *just in time*, basado en la filosofía de *stock* cero.

2º) Innovación en productos: 20.000 nuevos diseños al año. Su amplio conocimiento en tiempo real de la demanda permite dotar a sus diseños de un alto valor para el cliente porque sus productos responden a las últimas tendencias en moda.[33]

3º) Innovación en marketing. Por ejemplo:

- Tiendas: la principal publicidad de su imagen de marca y su *lay out*. No invierte en medios de comunicación tradicionales. Busca una situación estratégica en las mejores zonas comerciales de la ciudad y técnicas eficaces de escaparatismo.

- Estrategia de producto (enseña) personalizada: segmentación del mercado mundial.

- Una enseña diferente (que responde a un estilo concreto de mujer u hombre) para cada segmento.[34]

4º) Innovación en organización:

- **Modelo de circuito corto o *fast fashion*:**

  - Dos conceptos (información y tiempo) y tres claves estratégicas (tienda, diseño y sistema de producción y logística) le permiten la integración del diseño, la fabricación y la distribución.

  - Reducción del *time-to-market* que le permite obtener la siguiente ventaja competitiva: los principales competidores sólo proporcionan dos colecciones anuales, mientras que Inditex dispone de prendas nuevas en sus tiendas hasta seis veces por semana.

---

[32] En los cuatro ámbitos señalados por el Manual de Oslo.
[33] Retroalimentación de información de las tiendas y prospecciones de tendencias realizadas por los diseñadores.
[34] Incluso creando su enseña *low cost* (*Lefties*) para competir con el fenómeno irlandés *Primark*.

- **Alta autonomía y capacidad de decisión de cada una de las tiendas y del personal, en general.** Esta autonomía y capacidad de decisión hace que las personas se conviertan en el principal activo para la innovación.

Y todo ello lo hace (Inditex) propiciando una **organización con una cultura innovadora**, con gran capacidad de innovación sustentada en los siguientes factores:

- Organización abierta al cambio: la alta dirección exige poner diariamente la organización boca abajo.

- Existencia de un liderazgo transformador: la premisa de Amancio Ortega es idear todos los días, con el convencimiento de que el éxito nunca está garantizado.

- Adecuada gestión del cambio: en palabras de su fundador, "*si no hay crecimiento, una compañía se muere*".

Con estas innovaciones, Inditex proporciona a sus clientes una oferta atractiva que combina a la perfección moda, calidad y precio en el momento adecuado. Es decir, Inditex ha innovado en valor para el cliente, que a su vez le ha permitido **crear valor para la empresa** (gráfico 1.5): la empresa ha mejorado de forma significativa el volumen de facturación y el *cash flow* operativo, así como el rendimiento obtenido de los fondos propios y del capital invertido. Y los accionistas han percibido un mayor dividendo y han visto incrementado el valor de sus acciones en bolsa de forma espectacular.

Pues bien, sea cual sea el enfoque que adopte, por su importancia, la función de innovación se debe incorporar a la actividad empresarial con la finalidad de ir generando una cultura innovadora que genere un campo de cultivo para la innovación sistémica y continua en el tiempo.

GRÁFICO 1.5.
DE LA INNOVACIÓN EN VALOR PARA EL CLIENTE A LA CREACIÓN DE VALOR PARA LA EMPRESA

1.1.6. Potenciar el equipo humano

"El espíritu de grupo es lo que da a muchas empresas una ventaja sobre sus competidores", señalaba George L. Clements.

Nuestra experiencia nos ha enseñado que sin liderazgo y sin equipo no puede haber éxito en la estrategia empresarial. El desarrollo de un liderazgo fuerte que sea capaz de traccionar el cambio en la dirección marcada por las líneas de actuación propuestas es totalmente necesario, tanto como que el líder cuente con una estrategia claramente formulada, enfocada y compartida por toda la organización, especialmente por su equipo de dirección.

El líder comprometido con el negocio y su gente buscará hacer equipo, involucrando a las personas en la definición de la estrategia; fomentará el desarrollo de las personas y sus capacidades, buscando el desarrollo del talento y asegurando que el conocimiento sea compartido por todos; impulsará actitudes y comportamientos que favorezcan el cambio, la proactividad, la flexibilidad y polivalencia de las personas, y orientará las actuaciones de las personas hacia las metas que persigue la organización. Todo ello en consonancia con lo que se espera de una gestión excelente (gráfico 1.6).

GRÁFICO 1.6.
CONCEPTOS FUNDAMENTALES DE LA EXCELENCIA

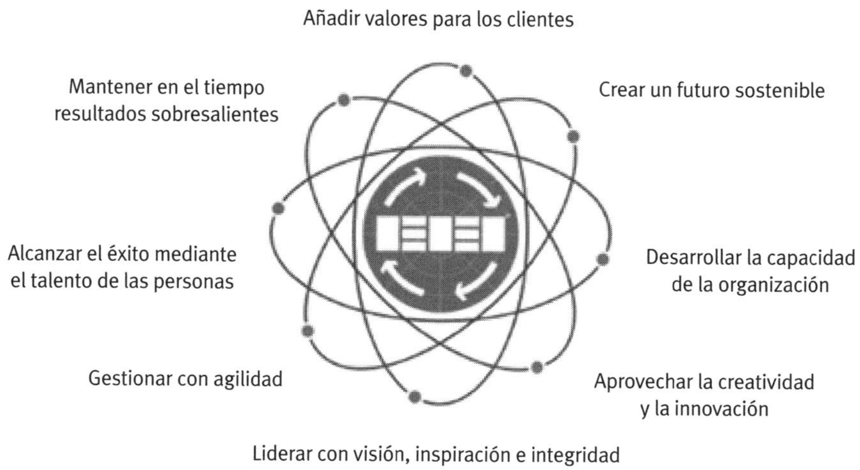

Añadir valores para los clientes

Mantener en el tiempo resultados sobresalientes

Crear un futuro sostenible

Alcanzar el éxito mediante el talento de las personas

Desarrollar la capacidad de la organización

Gestionar con agilidad

Aprovechar la creatividad y la innovación

Liderar con visión, inspiración e integridad

Fuente: EFQM (2013).

Es obvio que se podían haber ampliado las líneas de actuación expuestas en el gráfico 1.1. Seguramente una que habrá estado en la mente de muchos directivos y que no hemos citado es buscar la excelencia empresarial, ya que –como mostraremos en el caso EGA Master– los mercados internacionales brindan a las empresas una excelente oportunidad de mejora y/o un aprendizaje y una mejora efectiva, **haciéndolas más competitivas y productivas**. Y, por supuesto, cada empresa habrá reflexionado y concluido sobre las líneas de actuación que su mercado relevante requiere. Pero no pretendíamos ser *enclipédicos* sino exponer sucintamente las principales líneas de actuación que el entorno actual nos exige.

1.2. La internacionalización de la empresa española

Allá por 1977 nos preocupaba la escasa presencia de nuestras empresas en el exterior[35] (por ejemplo, en 1973, las exportaciones españolas sólo suponían 3.550 millones de euros, cuando en 2014 solo las empresas de IBEX 35 han supuesto 265.600 millones de euros).[36] Por supuesto, el contexto socioeconómico de España entonces nada tenía que ver con el que se produce a partir de 1986 con la entrada en la Comunidad Económica Europea[37] o, después de 1999, con la entrada en el euro.

Indudablemente, la situación ha cambiado sustancialmente y, afortunadamente,[38] *"tras muchos combates, en decenas de países y decenas de sectores ondean banderas españolas reconocidas por todos: Telefónica, Repsol, ACS, Ferrovial, OHL, Sacyr, Santander, BBVA, Iberdrola, Endesa, Acciona, Indra, Inditex, Abertis, Mapfre (…) Estas y otras multinacionales llevan años explorando los mercados internacionales –con especial predominio de América Latina– y consiguiendo contratos sin los que no hubiesen crecido del modo en que lo han hecho. Seis de cada diez euros facturados por las empresas del IBEX 35 proceden de sus negocios del exterior* (véase el cuadro 1.3).

Las compañías españolas más potentes iniciaron su proceso de internacionalización en la década de los noventa. Desde entonces han incrementado su presencia en el extranjero (véase el cuadro 1.4), *pero la crisis de 2008, con el consiguiente desplome de la demanda interna, ha estimulado todavía más los planes de expansión exterior. Esto ha permitido que España sea referencia en sectores como las telecomunicaciones, la banca, las infraestructuras, el trasporte, la alimentación, la energía o el turismo. Hay algunos casos, como el de Inditex y su cadena de tiendas Zara (más de 1.800 establecimientos en 87 países), que se han convertido en un símbolo del éxito empresarial español a lo largo y ancho del mundo"*.

---

[35] Sainz de Vicuña (1977): *"Exportación: ¿factible para la pequeña y mediana empresa (PYME)?"*, Estudios Empresariales, núm.36, págs. 41-48.

[36] La cifra de 1973 no ha sido corregida por la inflación producida durante estos cuarenta años y, por tanto, no es homogénea con la de 2014. En cualquier caso, ésta es la mayor cantidad desde que el Banco de España analiza la serie histórica iniciada en 1971.

[37] Sainz de Vicuña (1985): "Reflexiones ante la entrada en la Comunidad Económica Europea", Estudios Empresariales, núm. 59, págs. 1-7.

[38] Véase *Expansión* del 12 de junio de 2014 y del 3-4 de abril de 2015.

CUADRO 1.3.
VENTAS EN EL EXTERIOR DE LAS EMPRESAS DEL IBEX 35, EN 2014
(solo se han tomado aquellas cuyas ventas al exterior superan los 10.000 millones de euros)

EMPRESAS	VENTAS EN EL EXTERIOR, EN MILLONES DE €
ACS	29.300
SANTANDER	45.998
BBVA	15.764
GAS NATURAL FENOSA	11.914
IAG	15.903
IBERDROLA	15.669
INDITEX	14.410
MAPFRE	11.726
REPSOL	21.157
TELEFÓNICA	38.285
TOTAL DE LAS EMPRESAS DEL IBEX 35	**265.600**

Fuente: Elaboración propia a partir de *Expansión* del 3-4 de abril de 2015.

CUADRO 1.4.
EVOLUCIÓN DE LAS VENTAS EN EL EXTERIOR (EN %) DE LAS EMPRESAS DEL IBEX 35, ENTRE 2004 Y 2014
(solo se han tomado aquellas cuyas ventas al exterior superan la media de las empresas del IBEX 35: 61,5% en 2014)

EMPRESAS	% VENTAS EN EL EXTERIOR, EN 2004	% VENTAS EN EL EXTERIOR, EN 2014
ABENGOA	40,8	87,6
ACS	16,7	84,0
SANTANDER	59,4	84,2
BBVA	46,3	69,0
GAMESA	10,4	89,6
GRIFOLS	70,7	93,3
IAG	87,4	84,5
INDITEX	47,1	79,5
MAPFRE	28,8	63,5
OHL	29,8	77,3
TÉCNICAS REUNIDAS	59,5	98,1
TELEFÓNICA	38,6	76,0
TOTAL DE LAS EMPRESAS DEL IBEX 35	**39,8**	**61,5**

Fuente: Elaboración propia a partir de *Expansión* del 3-4 de abril de 2015.

Por sectores, cabe resaltar los siguientes logros:[39]

- Alimentación y bebidas:

  - Estas empresas quieren convertir los mercados exteriores en su mayor fuente de ingresos ante un consumo doméstico débil.

  - Ebro (el 93% de su cifra de negocios proviene del exterior), Deoleo (el 73%) y Campofrío (el 10%) destacan en Europa y Estados Unidos.

- Automoción:

  - El 80% de los dos millones de coches que se fabrican al año en España se exportan, gracias a las fábricas que las multinacionales (Ford, Opel, PSA Peugeot Citroën, Volkswagen, Nissan, Seat y Renault) tienen en España.

  - Pero también se pelea por el liderazgo mundial en el sector de componentes de automóviles, con grandes grupos como Gestamp, Antolín, Cie Automotive, etc.

- Chefs y cadenas gastronómicas:

  - Grandes chefs encuentran en el exterior una vía para crecer, mientras las cadenas de restauración (por ejemplo, Lizarrán) venden formatos como la tapa o el montadito (Cien Montaditos) en Estados Unidos o Asia.

  - Londres parece ser la ciudad donde mejor está funcionando la fórmula *made in Spain*.

- Economía digital:

  - Aunque no disponemos de gigantes digitales como Google o Alibaba, Telefónica (76%) se ha convertido en un coloso mundial de las telecomunicaciones, que lidera una internacionalización en la que también destaca Indra (61%).

- Energía:

  - Las empresas españolas de energía –Endesa, Iberdrola, Gas Natural Fenosa (48%), Repsol (46%), Acciona (46%), Elecnor y Gamesa (90%)– desmontan el tópico de que América Latina es su única área de influencia. La experiencia en renovables o la diversificación a países OCDE son el motor de la nueva fiebre de internacionalización.

- Financiero:

  - El Santander (84%) es uno de los bancos que suele encabezar el top ten mundial.

  - El negocio internacional aporta más del 80% de los beneficios del Santander y BBVA (69%).

---

[39] Basado en *Expansión*, 12 de junio de 2014 y 3-4 de abril de 2015 (los porcentajes entre paréntesis corresponden al % de ventas al exterior en 2014).

- En la banca mediana, Sabadell (5%) y Popular (8,5%) están dando pasos para incrementar su actividad exterior a largo plazo, aliándose con grupos colombianos y mexicanos.

- Infraestructuras:

  - Las compañías españolas de construcción y de ingeniería han aprovechado las referencias conseguidas en España para convertirse en líderes en el exterior, donde la nueva contratación supera los 43.000 millones en 2013.

  - Con datos de 2013, el Grupo ACS (84%) es el líder mundial. Le siguen a cierta distancia FCC (44%), OHL (77%), Abeinsa, Técnicas Reunidas (98%), Grupo Isolux Corsan, Acciona Infraestructuras (46%), Sacyr (49%), Comsa Cumte, Iberdrola Ingeniería, San José y Sener.

  - España copa el mercado concesional, encabezando ACS, Ferrovial (69%) y Abertis (61%) la lista mundial en la gestión de grandes proyectos de trasporte.

- Legal:

  - A pesar de que el derecho anglosajón prima en el mundo, los despachos de abogados españoles han apostado por salir al exterior para asesorar a sus clientes en su internacionalización y a compañías extranjeras en sus inversiones en España.

  - Garrigues es el bufete más internacionalizado, quizás porque se inició hace ya cuatro décadas abriendo una oficina en Nueva York.

- Seguros:

  - Mapfre (63,5%) y Catalana Occidente son las aseguradoras más internacionales.

  - Otras, como Mutua Madrileña, se han decidido a salir de España y buscan oportunidades de crecimiento principalmente en mercados de América Latina.

- Textil:

  - Las grandes marcas textiles (Mango, Desigual, Cortefiel y especialmente Inditex) han conquistado el mundo con sus productos de diseño a precio asequible y su innovación constante.

- Turismo:

  - Las aerolíneas (Iberia, Air Europa y Vueling) y los grupos hoteleros nacionales (Meliá, NH y RIU) han logrado una sólida posición en Europa y América Latina.

  - Algunos de ellos ahora están apuntando a Asia y África.

- Vitivinícola:

  – En 2013 se produjeron en España 50,5 millones de hectolitros de vino, de los que se vendieron fuera de nuestras fronteras más de 40, lo que en euros supone algo más del 10% del mercado global mundial.

  – En 2013 casi 4.000 bodegas españolas salieron al exterior pero, de ellas, sólo 94 facturaron más de 5 millones de euros. Y sólo 1.700 llevan cuatro años potenciando esta línea de negocio de forma ininterrumpida.

  – Entre las marcas más internacionales cabe destacar a Marqués de Cáceres, Campo Viejo, Miguel Torres, Freixenet, Codorniú, Gonzalez Byas, Barbadillo, García Carrión y Félix Solís.

Pero, afortunadamente, los éxitos de internacionalización ya se han extendido a las PYMES[40] que, pese a que no cuentan con los recursos financieros y jurídicos de las grandes, poco a poco se hacen hueco entre competidores extranjeros. Las hay de todos los sectores, pero cobran especial relevancia los bienes de equipo, la agroalimentación, la automoción y los productos químicos. Las actividades de tecnología media-alta cada vez tienen más peso en la exportación, lo que permite diferenciar a España de potencias emergentes como China, India o Brasil, que copan grandes cuotas del comercio mundial pero están más centradas en la venta de materias primas, manufacturas y semi-manufacturas. Estos son algunos ejemplos:[41]

- **Áreas**, que facturó 650 millones de euros, lleva más de ocho años en Estados Unidos (de donde viene el 20% de su facturación), donde tiene 157 establecimientos frente a los 270 de México, los 118 de Chile o los 59 de Portugal, por citar sus principales mercados exteriores. La exportación supuso el 43% del total de sus ingresos.

- **Araven,** que desde 2003 ha abierto mercado en 58 países, que representan el 68% de su facturación total.

- **Calvo,** que facturó 700 millones de euros, registró el 75% de sus ventas en el mercado internacional. Opera con la marca Calvo en España, Gomes da Costa en Brasil y Nostromo en Italia.

- **Camper,** que facturó 210 millones de euros, inició su expansión internacional hace más de veinte años, primero por Europa y posteriormente por Asia, Australia y Estados Unidos, de donde viene el 80% de su facturación.

- **CAF,** que tuvo unas ventas de 1.535 millones de euros, con proyectos internacionales que pueden suponer el 80% del total (3.700 millones es su cartera internacional a mediados de 2014). El grupo cuenta en el exterior con instalaciones productivas en Estados Unidos, México, Argentina, Portugal, Brasil e Inglaterra.

---

[40] Que como hemos visto tanto nos preocupaban en el artículo escrito en 1977.

[41] Elaborado a partir de *Expansión*, 12 de junio de 2014, con cifras de 2013.

- **CIE Automotive,** que facturó 1.760 millones, cuenta con 80 plantas en todo el mundo y un 80% de su cifra de negocio proviene de los mercados exteriores. Recientemente realizó una alianza estratégica con el gigante indio Mahindra, para impulsar su negocio en Asia. Es el primer grupo español del sector que cotiza en tres mercados: India, Brasil y España.

- **Consentino,** el rey mundial de las encimeras, facturó 488 millones y el 90% de sus ventas provienen del exterior.

- **Duro Felguera** facturó 924 millones de euros, de los cuales el 90% provino de los mercados exteriores.

- **Cristian Lay,** empresa puntera en el diseño de joyería, obtuvo en el exterior el 50% de los 65,3 millones de facturación.

- **Ederfil Becker** tiene una plantilla de 158 trabajadores, opera en el mercado internacional de los conductores eléctricos, realiza el 81% de sus ventas en el exterior, porque son conscientes de la evolución del mercado español (en los últimos años este mercado ha caído del 40 al 20% y pronto representará sólo el 10% de sus ventas) y del europeo (que ha caído un 30%).

- **Emicela,** que facturó 70 millones de euros, llega a 35 países de Europa, América y Asia (el 40% del total) con productos de alimentación, menaje y *amenities* (jabones, champús y colonias para hoteles).

- **Freixenet,** el mayor embajador del cava en el mundo, facturó 520 millones, de los cuales el 80% provino de los mercados exteriores, y tiene bodegas en Estados Unidos, Francia, Argentina, México, Australia y España.

- **Gadea,** grupo farmacéutico que desarrolla, fabrica y comercializa principios activos farmacéuticos, nació con vocación exportadora, exporta a un total de 72 países de los cinco continentes, con una facturación de 63 millones de euros.

- **Daniel Alonso,** que produce maquinaria para el sector energético, factura unos 300 millones de euros, de los que el 95% van a la exportación.

- **Helios** factura 160 millones de euros, de los que el 60% proviene del exterior. Cuenta con firmas en Inglaterra, Francia, Marruecos y Alemania, además de las de su filial Iberfruta-Muerza.

- **Imaginarium** dispone 425 tiendas distribuidas por 27 países de todo el mundo (el 58% de ellas en España), siendo el 57% el peso de su negocio internacional.

- **Imedexsa,** que fabrica estructuras metálicas para usos eléctricos, torres para el trasporte de energía, telecomunicaciones y estructuras ferroviarias, factura unos 26 millones de euros, un 11% de los cuales proviene de los mercaos exteriores.

- **Indar (grupo Ingeteam),** que tras el desplome del sector eólico diversificó a sectores generadores de energía, facturó 129 millones de euros en 2014 (un 85% en los mercados exteriores) y mantiene una plantilla de 678 trabajadores.

- **Istobal,** el segundo fabricante europeo de túneles de lavado y el tercero a escala mundial, factura unos 65 millones de euros, 80% de ellos fuera de España. Posee plantas de producción en España, Francia, Estados Unidos y Brasil, y filiales comerciales para distribución en Reino Unido, Austria, Dinamarca y Serbia.

- **La Farga Group** obtuvo unos 900 millones de ingresos; además de la planta catalana, ha puesto factorías en China y Estados Unidos y exporta el 70% de su producción de cobre.

- **Natra,** que fabrica derivados de cacao, tiene una facturación de 360 millones, suponiendo Europa el 90% de su negocio. Además de en España, tiene fábricas en Francia, Bélgica y Canadá. Y dispone de oficinas comerciales en Europa, América y Asia, desde las que establece relaciones con 75 países.

- **Orbea,** además de la planta vizcaína, dispone de otras en Portugal y China. Facturó 71 millones de euros, el 65% en el exterior: bicicletas de gama media y alta Orbea, así como ropa deportiva *Orca*.

- **Ossa,** especializada en obra civil (túneles y obras subterráneas), factura 160 millones de euros y el 80% de los contratos los consigue fuera de España.

- **Porcelanosa** cuenta con 400 establecimientos con su marca (entre propios y asociados) en 80 países (Francia, Reino Unido y Estados Unidos superan a España como sus principales mercados). Factura 1.100 millones de euros, de los que el 76% proviene del exterior.

- **Puig** es la sexta mayor empresa de fragancias de alta gama del mundo. Opera en 140 países con marcas como Carolina Herrera, Paco Rabane o Nina Ricci. Obtuvo unos ingresos de unos 1.500 millones de euros, el 86% fuera de España.

- **Roca** facturó 1.600 millones de euros, el 85% en el exterior, con una presencia internacional en 135 mercados. Es uno de los grupos industriales con mayor implantación exterior, con 76 fábricas en 18 países.

- **RTS,** con 320 trabajadores, se dedica a los recambios de dirección o suspensión. En 2014, exportando a 75 países, obtuvo el 94% de sus ventas en el mercado internacional.

- **Soler & Palau** es el gigante español de la ventilación (marca S&P), que opera en 80 mercados, factura unos 500 millones de euros, 90% de ellos en el exterior. Tiene presencia industrial en doce países: Francia, Inglaterra, Noruega, México, Brasil, Estados Unidos, China, Singapur, Tailandia, Malasia e India, además de España.

- **Tous** factura 368 millones de euros, está presente en unos 45 países, con más de 400 tiendas (entre propias y franquiciadas), proviniendo del exterior el 52% de su facturación.

- **Tradebe** gestiona residuos peligrosos, facturó casi 400 millones de euros y tiene presencia (25 plantas) en España, Reino Unido, Estados Unidos y Brasil, aunque pone el foco en Reino Unido y América.

- **Xtraice,** fundada en 2003, es líder mundial en pistas de hielo sintético. Facturó 3,2 millones de euros y ha montado más de trescientas instalaciones en casi ochenta países. Ha abierto oficinas en una docena de países, entre ellos Estados Unidos, Brasil, Reino Unido e India.

Reiteramos, una vez más, que en este libro ponemos el foco en las PYMES tratando de profundizar en el porqué y en el cómo de su internacionalización.

1.3. Resumen

En resumen, los países emergentes[42] rivalizan ahora con los países ricos en innovación, visión global y auténtico pensamiento estratégico. Por tanto, si queremos sobrevivir y ser competitivos en este nuevo escenario, *"cada vez hay que correr más para estar en el mismo sitio"*.[43]

Está claro que en un país como el nuestro, donde en los años 2008-2014 se han destruido unas 500.000 empresas, estamos obligados a actuar en coherencia con las principales demandas del entorno actual y previsible: pensamiento estratégico, visión internacional y desarrollar la innovación, apoyándonos en una sólida estrategia de alianzas y en la potenciación de nuestro equipo. De todas estas líneas, **este libro se centra en la visión internacional** porque, desde nuestra experiencia, constituye la respuesta más audaz a las demandas del escenario descrito. Ésta, quizás, haya sido el principal *driver* de las empresas multinacionales españolas expuestas en los cuadros 1.2 y 1.3, así como de otras muchas PYMES citadas en este capítulo y a lo largo del libro.

Pero quizás, a la hora de poner en práctica dicha decisión, estará lleno de pegas o reservas mentales como las tres que mencionamos a continuación:

1. **Que es difícil**… Ya lo decía Séneca: *"No nos atrevemos a muchas cosas porque son difíciles, pero son difíciles porque no nos atrevemos a hacerlas"*. Hoy en día, todos nos repetimos la frase *querer es poder*. En nuestro caso, si quiere, usted puede internacionalizar su empresa, si no lo ha hecho ya. *Yes you can*, le diría Obama. Otros lo han conseguido y usted no va a ser menos.[44] No se olvide de que *el éxito es una cuestión de perseverar cuando los demás ya han renunciado* (W. Feather). O de que, como decía Einstein, *hay una fuerza más poderosa que el vapor, la electricidad y la energía atómica: la voluntad*. Ahora bien, como no

---

[42] Durante mucho tiempo proveedores de mano de obra barata.
[43] Proverbio chino.
[44] Dell *et alii* (2013).

le va a resultar fácil, recuerde que "*Quien tiene algo por qué vivir es capaz de soportar cualquier cómo*" (Nietzsche). Y, en último término, piense en lo que decía Antoine de Saint-Exupery: "*Mirad, en la vida no hay soluciones, sino fuerzas en marcha. Es preciso crearlas y las soluciones vienen*".

2. **Que tiene dudas**... Ortega y Gasset decía: "*Sólo es posible avanzar cuando se mira lejos. Sólo cabe progresar cuando se piensa en grande*", a lo que Bertrand Russell le añadiría: "*Gran parte de las dificultades que atraviesa el mundo se deben a que los ignorantes están completamente seguros y los inteligentes llenos de dudas*". Demóstenes solía decir que "*Las oportunidades pequeñas son el principio de las grandes empresas*". Pensando en internacionalización, viene bien recordar el mensaje de Mao Tse-Tung, que decía: "*La acción no debe ser una reacción sino una creación*", o el de Peter Drucker: "*Algunas veces las estrategias son más importantes que la innovación en sí misma. El problema es que raramente te dejan una segunda oportunidad*". Finalmente, nosotros le sugerimos que haga *benchmarking* de casos de éxito como los expuestos en este libro.

3. **Que tiene miedo al fracaso**... Por favor, recuerde siempre estas máximas: "*El miedo provoca lo que uno teme*" (Victor E. Frankl, en "El hombre doliente", 1994); "*Un fracasado es un hombre que ha cometido un error pero no es capaz de convertirlo en experiencia*" (Elbert Hubbard); "*Perdí todas las batallas pero, milagrosamente, gané la guerra*" (Isabel Allende); "*No me arrepiento en absoluto de haber corrido todos los riesgos por aquello que me importaba*" (Arthur Miller).[45]

Si hasta ahora no tenía una guía de cómo hacerlo, en adelante ya tiene menos excusas.[46] Los ejemplos que le mostraremos a lo largo del libro pueden ayudarle a emprender este camino. Y no se olvide de que, como dice un proverbio hindú, "*la más larga caminata comienza con un paso*". Lo saben muy bien los propietarios de Cascajares, personas con ideas y coraje suficiente como para actuar en coherencia con las líneas de actuación expuestas en el gráfico 1.1. Para ellos, la dimensión de la empresa no impide

---

[45] Quizás no sea usted un auténtico emprendedor, ya que la actitud ante el fracaso (una experiencia de la que se tiene que aprender) forma parte del ADN del emprendedor.

[46] En Sainz de Vicuña (1977) terminábamos el artículo antes citado "*Exportación: ¿Factible para la PYME?*", de la siguiente manera: "*El análisis de una serie de factores nos ha debido llevar a la conclusión de que es totalmente factible que la PYME española exporte, que la exportación no es privilegio de la gran empresa. De hecho todos conocemos PYMES que están exportando con envidiable éxito. Exportar no requiere medios o recursos (Know how, recursos humanos o financieros) que estén fuera del alcance de la PYME. (...) Pero exportar no es tarea fácil. Requiere una mentalidad empresarial determinada muy distinta a la que estamos acostumbrados a ver en algunos empresarios. Requiere la realización de estudios de Investigación Comercial que nos ayuden a seleccionar mercados y a conocer su verdadera estructura y naturaleza. Requiere planificación, concepto totalmente ajeno a una gran parte del empresariado español. Requiere que el empresario tenga paciencia y esté plenamente convencido de que necesita exportar. Requiere en fin que la empresa tenga una estructura interna adecuada y que al menos una persona de la empresa esté encargada full time de la gestión de esta actividad. Concluyamos con palabras del actual Primer Ministro francés, Raymond Barre: El exportador no se improvisa así como así. Las empresas saben que el éxito en un mercado extranjero no se consigue sin una larga y minuciosa preparación, seguida de una presencia activa que debe movilizar todas las funciones industriales y comerciales de la empresa.*"

que una PYME como Cascajares pueda abordar hitos avanzados dentro del proceso de internacionalización como, por ejemplo, la implantación exterior.

Un ejemplo de PYME "internacionalizada" es el caso protagonizado por la empresa castellano leonesa de platos preparados **Cascajares**. Esta empresa, surgida en 1994 de la iniciativa de dos amigos, vio cómo su buen hacer y los esfuerzos realizados durante una década se veían recompensados cuando, en 2004, sus Altezas Reales, los Príncipes de Asturias, escogían su producto estrella, el **"Capón de Cascajares** asado, relleno de foie, orejones y piñones", como plato principal del convite nupcial.

A partir de ese momento, el "efecto boca-oído" se multiplicó y, apoyado por la publicidad blanca de los medios y por inversiones selectivas en comunicación, ha ido incrementando la notoriedad e imagen de su marca **Cascajares** y, en igual medida, su crecimiento empresarial. Muestra de ello es la evolución experimentada por su facturación, que pasó de los 2 millones de euros en 2004 a rozar los 6 millones de euros en 2007.

En 2010 abrió una oficina comercial en París para potenciar y afianzar sus exportaciones por toda Europa. Y en 2011 se ha implantado en Canadá, con fábrica propia, y cuenta con el permiso FDA para vender en EEUU y México, aprovechando el fenómeno estadounidense de que el Día de Acción de Gracias se consumen unos 50 millones de pavos (además del consumo navideño y diario de este tipo de productos). Y más recientemente ha conseguido el apoyo del conocido cocinero José Andrés como embajador de sus capones, con el fin de aumentar su notoriedad e imagen en dicho mercado.

El plan de negocio de la empresa palentina, que factura menos de 10 millones de euros, tiene previsto que, en unos 3-5 años, su filial canadiense sea la principal fuente de facturación del grupo.[47]

Por ello, no nos gustaría que se olvidara de que **las alianzas pueden ser el *driver* principal en la internacionalización de su empresa**, estrategia imprescindible[48] para su competitividad e internacionalización, en un mundo globalizado como el que vivimos, en el que continuamente surgirán competidores tan agresivos como hoy pueden ser las temidas empresas chinas.

---

[47] El autor agradece a Alfonso Jiménez y a Francisco Iglesias la oportunidad que me han dado de colaborar con ellos durante los últimos años.

[48] Sainz de Vicuña, JMª (2014b): Alianzas estratégicas en la práctica.

Capítulo 2
¿Cómo internacionalizarse?

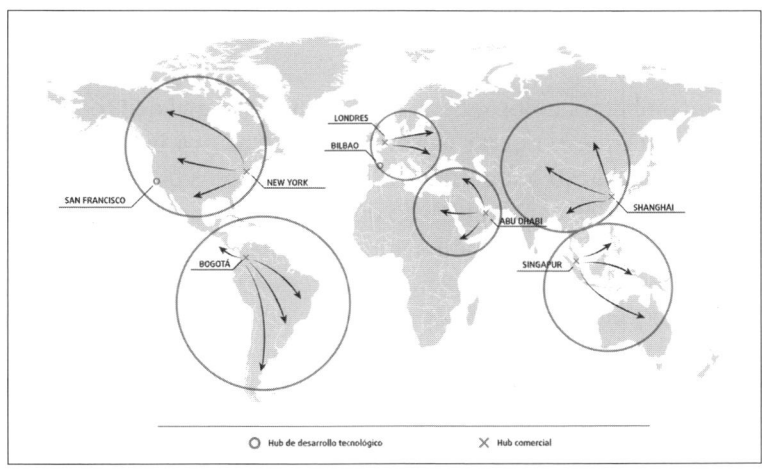

"La fortuna sonríe a los audaces (audaces fortuna iuvat)".

Virgilio
(Verso 284 del libro X de la Eneida)

2.1. ¿Hablamos de internacionalización o de exportación?

Es asombroso ver cómo todos hablamos de innovación cuando a veces queremos decir creatividad o cambio, o cómo se habla de marketing cuando se está hablando de publicidad, o cómo se refiere a algo como una decisión estratégica cuando se quiere resaltar que se trata de una acción importante. Pues bien, lo mismo ocurre con la palabra internacionalización cuando, en la mayor parte de los casos, estamos hablando de exportación.[1]

---

[1] Víd. Sainz de Vicuña (1984): *"Cara y cruz de la exportación española (análisis crítico)"*, Estudios Empresariales, núm. 56, págs. 19-37, donde concluíamos con un párrafo que lo trascribimos porque treinta años después sigue siendo válido: *"En el mejor de los casos podemos decir que:*
- *Desgraciadamente todavía hay demasiadas empresas en la etapa del mercado interior;*
- *Hay sectores en los que numerosas empresas han entrado en la etapa de exportación (es decir, que con una política a corto plazo se han volcado a vender sus productos en el exterior, donde sea y como sea);*
- *Y son contadas excepciones las empresas que se han metido en la etapa del marketing Internacional: es decir, empresas cuyas miras van más allá del corto plazo adoptando el tipo de política comercial que*

La evidencia nos dice que esto nos ocurre muy a menudo con conceptos que están de moda, que son más "atractivos" para el oyente o que la palabra más apropiada no tiene tanto *glamour* o que puede ser percibida por nuestra audiencia como "pobre" o anticuada.

Efectivamente, hablar en 2015 de exportación puede resultar muy pobre para cualquier consultor que se precie, para un profesor universitario con pretensiones, para cualquier político de primera fila, o para cualquier conferenciante que tenga un importante caché.

Sin embargo, todos sabemos (al menos, el perfil de profesionales citados en el párrafo anterior) que **exportar es vender nuestros productos o servicios en otro mercado distinto de nuestro mercado interior**. Sabemos que las exportaciones son transacciones comerciales con agentes de otros mercados, que no requieren de presencia directa en el mercado de destino ni actuaciones que, en general, impliquen una acción directa en otro país. Y hemos oído cien mil veces que, desde que pertenecemos a la Unión Europea, las ventas en los otros países de la Unión son ventas dentro de nuestro mercado interior,[2] por lo que esas ventas no hablan de nuestra experiencia exportadora y, menos, de nuestra internacionalización. No estamos exportando a Alemania, Reino Unido, Italia o a Francia –supuesto que estemos vendiendo en esos países–, no. De la misma forma que una empresa madrileña no está exportando cuando vende en otras regiones de España. No es correcto, por tanto, decir que "estamos exportando a los principales mercados europeos". Y menos todavía que, por ello, nos hemos internacionalizado. Otra cosa sería que estuviéramos vendiendo en Estados Unidos o en Australia o en China. En esos casos, sí que por lo menos estaríamos exportando a otros mercados.

Pero, entonces, ¿qué es internacionalización (versus exportación)? La **internacionalización es un proceso en el que nuestra empresa se convierte en un importante actor internacional o global, en su mercado relevante**. Supone una nueva cultura corporativa que hace que pasemos de pensar y trabajar (en cualquiera de los eslabones de la cadena de valor de nuestra empresa o sector de actividad) en un mercado local a hacerlo en algunos mercados internacionales (distintos a nuestro mercado interior) o, incluso, que pasemos a convertirnos en una empresa que actúa en "todo" el mundo. Estamos internacionalizados cuando, independientemente de dónde estén nuestras oficinas centrales (por ejemplo, en España), nuestros centros de producción y nuestras estructuras comerciales o logísticas están en aquellos países que nos permiten una mayor optimización de los recursos e inversiones que tenemos que hacer para ser competitivos en ese mercado global (por ejemplo, con centros de producción en Asia, almacenes

---

aconsejábamos en la conclusión 8ª *(lo que se necesita es que se haga marketing a nivel internacional: acatar en la actividad exportadora la mentalidad de marketing buscando un conocimiento más completo de los clientes extranjeros, sus múltiples segmentos, y adecuando la estrategia de marketing al segmento estratégico seleccionado)* y la actitud a que nos referíamos en la 9ª *(considerar el mercado mundial como mi mercado... los mercados no deben tener fronteras para nuestras empresas, siempre que nuestros productos sean competitivos y que haya países que no se opongan a su entrada).*

[2] Las operaciones con otros Estados miembros se denominan ventas intracomunitarias, nunca exportaciones.

logísticos en Emiratos Árabes, filiales en Estados Unidos y clientes en distintas partes del mundo). Esto es, montando la estructura adecuada a cada país o zona geográfica y controlando toda la cadena de valor.

Bueno, quizás hayamos ido demasiado lejos en cuanto al alcance de la internacionalización y hayamos dado un salto demasiado grande de la exportación a la internacionalización, como si fuera "coser y cantar". Demasiado grande sobre todo si pensamos en las PYMES, que constituyen casi el cien por cien de las empresas de nuestro país, y que muchas de ellas todavía no están presentes en muchos mercados de la Unión Europea (nuestro mercado interior). Porque, para la casi totalidad de las empresas, el proceso de internacionalización constituye una travesía larga, dura, dolorosa y difícil, al que se le destinan muchos recursos (humanos y materiales) y en el que se pasa de una actitud defensiva y/o reactiva a una actitud totalmente ofensiva y proactiva.

Detengámonos, por tanto, en el alcance de la internacionalización y en la "travesía en el desierto" que tiene que recorrer una PYME desde que se plantea salir fuera, bien sea por necesidad (caída del mercado nacional) o bien por vocación: vender sus productos allá donde sea competitiva, sin vacilar en la decisión porque se trate de un mercado muy lejano o porque no podamos hacerlo solos, con nuestros escasos recursos. Travesía en el desierto por las innumerables barreras internas y externas que habrá que superar en este proceso. Pero merece la pena, tanto desde una perspectiva defensiva como ofensiva:

- Motivaciones **defensivas**: para no desaparecer como consecuencia de la caída del mercado local en el que estamos, sea por la crisis, por la entrada de nuevos competidores o por una acumulación de circunstancias, que ponen en riesgo la propia supervivencia de nuestra empresa.

- Motivaciones **ofensivas**: para crecer y desarrollar nuestro negocio, ampliándolo a todos aquellos mercados donde exista una oportunidad. Como vía de desarrollo corporativo.

La Corporación Mondragón –uno de los diez primeros grupos empresariales de España, en el que existen más de un centenar de PYMES– realizó un estudio con 42 de sus cooperativas, comparando el período 1990-95 con el 2005-2010, en el que obtuvo las siguientes **conclusiones**:

1) Tanto las ventas totales, como las ventas de exportación, como los resultados netos, como el empleo, crecieron en mayor medida en las cooperativas multilocalizadas en todo el mundo que en las cooperativas de ámbito local.

2) *La internacionalización es la mejor manera de proteger el empleo en casa, pues si la compañía no hubiese salido al exterior, la destrucción de puestos de trabajo en el país habría sido tremenda.*

2.2. Alcance de la internacionalización

Como en todo proceso, se pueden establecer tantos estadios como queramos, según que nos movamos a un nivel de detalle muy grande o, por el contrario, sólo contemplemos grandes etapas o hitos dentro del mismo. Tres son los principales hitos por los que las empresas que quieren internacionalizarse deben pasar: la exportación, la concesión de licencias y la inversión directa en el exterior.[3]

La **exportación** puede ser directa o indirecta. Según se trate de operaciones realizadas desde el denominado departamento de exportación (exportación directa)[4] o mediante agentes independientes[5] o distribuidores en el país de destino (en estos dos últimos casos se trata de una exportación indirecta). Se trata de los primeros pasos que cualquier empresa da en su proceso de internacionalización, máxime si eres una PYME y, en consecuencia, no dispones de suficientes recursos para crear tu propia red de distribución comercial.[6] En este estadio, la utilización de otros agentes de cara a la consecución de nuestros objetivos comerciales tiene el mismo propósito que lo que se hace en el mercado interior con otras empresas en las que nos apoyamos para la comercialización de nuestros bienes y servicios: la mera relación comercial (gráfico 2.1).

GRÁFICO 2.1.
ESTADIOS EN EL PROCESO DE COOPERACIÓN CON OTROS AGENTES

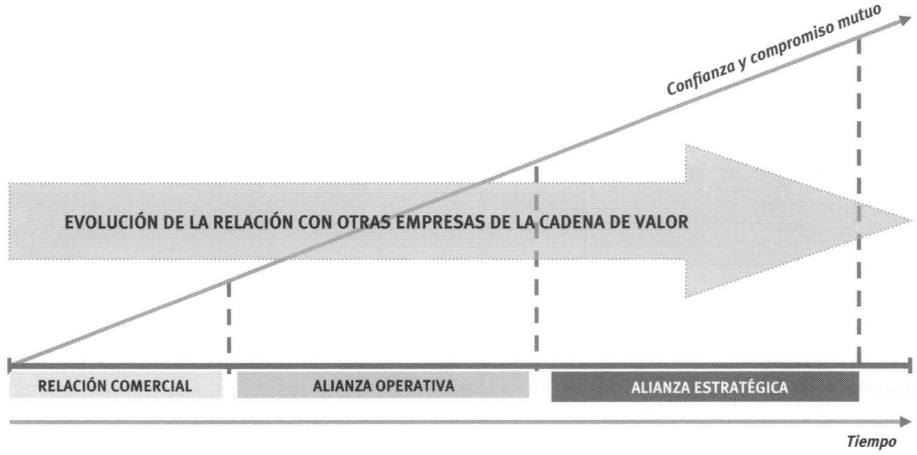

---

[3] Ver INICIA (2012), Nuñez, J.A. et alii (2012), Escolano, C.V. y Belso, J.A. (2003) y Casillas Bueno, J.C. (1998).

[4] Las modalidades más habituales son: el importador distribuidor (que compra, almacena y distribuye el producto en el país de destino) y el agente importador (bien sea agentes comisionistas que no asumen riesgos o agentes independientes, que trabajan por cuenta propia y asumen todos los riesgos).

[5] Comisionistas radicados en el país de origen de la empresa, como por ejemplo *trading companies*, agentes de compra o *brokers*.

[6] Según un estudio del ICEX, con una muestra de 422 casos válidos, el 27% de los exportadores españoles analizados tenían redes propias, mientras que entre los que lo hacían con distribución ajena, el 26% utilizaban agentes, el 47% distribuidores/mayoristas y el 27% restante minoristas o usuarios finales.

La **concesión de licencias** supone un estadio de mayor confianza y compromiso con terceros, que deriva en acuerdos contractuales para la explotación conjunta o la cesión de parte de nuestro negocio a otro agente del mercado de destino.[7] Por tanto, aprovechándonos del conocimiento que tiene de su mercado, pero sin necesidad de abordar inversiones tan cuantiosas como las que deberemos hacer en el siguiente estadio. Para ello se suelen establecer las oportunas alianzas operativas tras un proceso como el que se señala en el gráfico 2.2. Las licencias pueden ser de diversa índole:[8]

- **Acuerdos de distribución**: cuando el licenciatario distribuye el producto más o menos como lo recibe del fabricante, con lo que el productor continúa manteniendo un fuerte control sobre la actuación del firmante del contrato.

- **Franquicias**: contrato entre franquiciador y franquiciado, por el que se otorga a este último el derecho de uso de un producto o sistema de venta –con los correspondientes servicios–, a cambio de una cantidad inicial y pagos periódicos.

- **Contratos de fabricación**: subcontratando la fabricación y venta del producto a una empresa instalada en el país de destino, previo pago de un royalty o canon. Esto es, se autoriza –mediante contrato– a un tercero la fabricación de un producto o la prestación de un servicio, así como el uso de la marca comercial del licenciatario, siempre que se cumplan determinados niveles o requisitos de calidad.

- **Cesión de patentes**: cuando se concede la posibilidad de hacer uso a discreción del derecho patentado, con la implicación mínima por parte del poseedor de la patente.

- **Transferencia de tecnología**: cediendo a una empresa del país de destino nuestro *know how*, nuestra marca o la asistencia técnica.

El tercer hito señalado en este proceso de internacionalización es la **inversión directa** en el exterior, con el fin de obtener mayor valor añadido, a costa de mayores inversiones para consolidar nuestra presencia permanente en los mercados estratégicos seleccionados. Estas inversiones pueden estar justificadas en la obtención de recursos (normalmente mano de obra) más baratos, en poder ser competitivo en la zona, por la adquisición de activos estratégicos para nuestra competitividad internacional, para soslayar determinadas trabas arancelarias y/o legislativas del país de destino[9] o dar soporte a otras actividades de la empresa.[10]

---

[7] Como veremos en el capítulo 4, Ternua Group es un buen ejemplo de PYME que tiene una licencia con una empresa coreana para su gama de prendas *outdoor*.

[8] Escolano, C.V. y Belso, J.A. (2003), a partir de UNCTC (1988).

[9] Este es uno de los motivos de las importantes inversiones españolas realizadas en países como Brasil.

[10] Hay investigaciones que demuestran que las empresas españolas adoptan estrategias de inversión horizontal en relación a sus filiales en países avanzados pero, sobre todo, de inversión vertical en los de menor desarrollo (Cuadernos Económicos de ICE, nº 82, pág. 209).

GRÁFICO 2.2.

PASOS A DAR PARA EL ESTABLECIMIENTO DE UNA ALIANZA OPERATIVA

Dada la inversión necesaria y el riesgo tan alto de esta decisión estratégica, la creación de filiales propias[11] o la creación de *joint ventures* suele ser conveniente abordarlas tras un importante proceso de reflexión que, entre otros aspectos, contemplará los que señalamos en el gráfico 2.3.

Orona es un buen ejemplo de PYME que, gracias a la internacionalización de la cooperativa, en 2013 llegó a facturar 593 millones de euros, incrementando sus ventas en un 4,2% respecto al ejercicio anterior, a pesar de la crisis.

Su crecimiento está basado en la adquisición de empresas: son 30 las empresas que forman parte del Grupo Orona. Lo hizo en el mercado español y, posteriormente, lo ha hecho en Europa (por ejemplo, Francia, Portugal, Reino Unido, Irlanda, Bélgica, Países Bajos, Luxemburgo y Noruega), en 2013 entró en América con la compra del grupo brasileño AMG Elevadores –que tiene una plantilla de 417 trabajadores, y con la que espera alcanzar los 100 millones de euros en Brasil–, en 2014 se hizo con Techlift en Polonia, y en enero de 2015 ha adquirido las empresas Langham Lifts (ubicada en Londres) y SAS Alma (ubicada en las inmediaciones de París).

"La apuesta del grupo por la I+D y el talento se concreta en los 500 puestos de trabajo de alta cualificación que se generarán en torno al proyecto de innovación Orona IDeO-innovation city, un centro referente en Europa que aglutinará la actividad empresarial, docente e investigadora" y cuya inauguración se realizó en 2014, coincidiendo con el 50 aniversario de Orona.

---

[11] Plantas de producción y/o delegaciones propias o sucursales comerciales, con su correspondiente red comercial.

Por su relevancia para la PYME, queremos resaltar la importancia de la **estrategia de entrada basada en la cooperación con otras empresas** que comparten con nosotros inversiones (en recursos y capacidades) y riesgos. Las fórmulas de cooperación pueden ser tan diversas como las siguientes: las fórmulas (antes citadas) de licencias, los consorcios de exportación (que cuentan con el apoyo del ICEX), los contratos de gestión,[12] la fabricación por contrata,[13] el *piggybacking*,[14] o las alianzas internacionales,[15] entre las que cabe destacar las *joint ventures*.[16]

El fabricante de componentes CIE Automotive –que en 2013 con 23.517 trabajadores facturó 2.160,3 millones de euros y que contaba con 65 plantas productivas en todo el mundo– es un buen ejemplo de internacionalización de una empresa que hace muy pocos años era una PYME (ver cuadro 7.2).

En junio de 2013, firmó un acuerdo con la empresa india *Mahindra* que dará lugar a una nueva compañía, ***Mahindra CIE Automotive***, que se convertirá en uno de los 25 fabricantes de componentes más importantes del mundo, con ventas anuales que superan los 3.000 millones de dólares y con operaciones en Norteamérica y Asia.

Actualmente, *Mahindra* está unificando sus divisiones de componentes en una sola entidad, *Mahindra Forgings*. Ésta se convertirá en unos meses en la Mahindra CIE Automotive, cuando CIE compre el 51% de *Mahindra Forgings* por 116 millones de dólares. El grupo *Mahindra & Mahindra* se quedaría con el 20%. Por su parte *Mahindra* comprará el 13,5% de CIE por 94,24 millones de euros.

"*Nuestra estrategia pasa por desarrollar el mercado indio como puerta hacia Asia*", declaró Anton Pradera, presidente de CIE. Especialmente, en un mercado emergente y en pleno crecimiento como el indio.[17]

---

[12] Una empresa que realiza, por nuestra cuenta, la gestión operativa de nuestro negocio en el país de destino.

[13] Cuando se paga a una empresa del país de destino para que fabrique en nuestro nombre, aunque la comercialización del producto la realizamos nosotros.

[14] Cuando nos aprovechamos de la red de distribución de una empresa que ya opera en el país de destino y, a cambio, le pagamos una comisión por las ventas que nos consiga.

[15] Sean horizontales (fabricantes del mismo tipo de producto) o verticales (empresas que están "aguas arriba" o "aguas abajo" respecto a nosotros), operativas (inversiones conjuntas, en marketing, comercial, estructuras comerciales, etc.) o estratégicas (cuando compartimos el capital de alguna sociedad).

[16] Estas sociedades mixtas pueden ser AIE (agrupaciones de interés económico), UTE (unión temporal de empresas) o similares.

[17] *Diario Vasco*, 16 de junio de 2013.

GRÁFICO 2.3.

PASOS A DAR PARA EL ESTABLECIMIENTO DE UNA ALIANZA ESTRATÉGICA

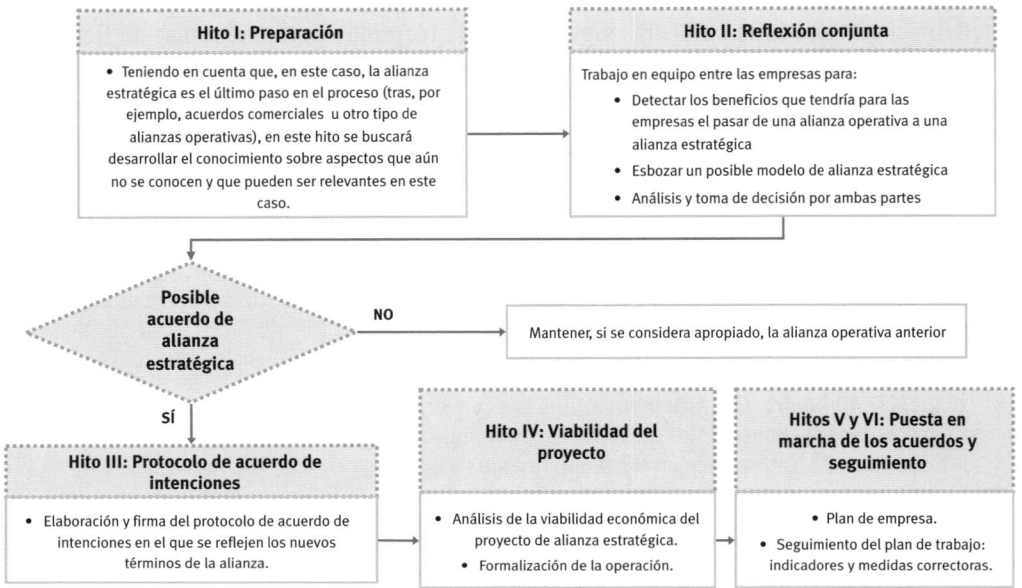

Ni que decir tiene que no existe una delimitación exacta de las etapas a seguir por una empresa en su proceso de internacionalización, aunque se acepten como modelos trayectorias de internacionalización como las siguientes:

- **Modelo 1**: de la exportación indirecta se pasa a la directa (primero a través de agentes y más adelante con delegaciones propias). Si se trata de una empresa industrial, un paso siguiente puede ser la creación de empresas de montaje en el país de destino. Posteriormente se pueden crear empresas mixtas para la producción de los bienes que fabricamos y comercializamos. Y un último paso puede consistir en la creación de filiales para la producción de nuestros propios productos.

- **Modelo 2:** se empieza con concesión de licencias y, a los pocos años, se pasa a crear franquicias. Posteriormente se crean empresas mixtas comerciales y finalmente se montan filiales de ventas en los países de destino más importantes.

Ejemplo de fusión entre varias sociedades para compartir recursos y reducir el riesgo de las inversiones lo constituye **Grandes Vinos y Viñedos**, que pudo acometer las necesarias inversiones productivas y comerciales que le han permitido estar presente con vinos más elaborados en mercados exteriores de difícil acceso para las PYMES españolas: Europa (Reino Unido, Alemania, Holanda Suiza, Bélgica, Francia, Noruega, Suecia, Finlandia, Dinamarca, Austria, Rusia, Polonia) supone un 60%; América (Canadá, EEUU, Venezuela, Méjico, Puerto Rico, Ecuador) representa un 25%, y Asia (Japón y Singapur), donde el porcentaje es del 15%.

El denominador común de ambos modelos de internacionalización es que se pasa de decisiones con escaso compromiso de recursos y, en consecuencia, de menor riesgo, a decisiones estratégicas de calado en las que las inversiones y riesgos que se asumen son al menos tan altos como los que la empresa está acostumbrada a asumir en su país de origen. Y, por supuesto, la empresa se mueve de actuaciones en las que tiene un control total (por ejemplo, la exportación indirecta o directa), a otras en las que el control es mucho menor porque sus inversiones (en filiales de producción o comerciales) están sometidas a la incertidumbre sociopolítica del país de destino.[18]

Por supuesto, los modelos que acabamos de exponer se refieren a los más convencionales, es decir, a aquellos que –como suele ser el caso de la casi totalidad de las PYMES– inician la internacionalización después de haber trabajado el mercado local durante años y haberse iniciado con exportaciones irregulares, bien sean directas o indirectas. Pero no debemos olvidar que cada día es más frecuente ver **empresas que nacen "globales"** (como es el caso de Nire iHealth que mostramos en el capítulo 6) o que, con el paso del tiempo, se redefinen globales (por ejemplo, Inditex o Punto Fa, por citar algunos ejemplos de empresas españolas internacionalizadas).

Un ejemplo especial de una PYME "internacionalizada" es el caso de la empresa **Guascor** (que en 2011 fue comprada por la norteamericana *Dresser-Rand*). Lo traemos aquí por tratarse de un caso de "negocio inclusivo".[19]

Es uno de los ejemplos de mayor éxito en Euskadi en este tipo de iniciativas, durante los últimos años, gracias a su programa "Luces de la Amazonía", ya que, además de proveer de energía a comunidades aisladas en Brasil (que hasta entonces no habían tenido acceso a la electricidad), ha permitido a Guascor hacer negocio con ello, logrando una alianza (inevitable y deseable) con la comunidad, mediante la cesión real del papel de gerencia a los propios actores locales y la búsqueda por la comprensión de las raíces y cultura de un pueblo (…).[20]

---

[18] Recuérdese lo que les está ocurriendo a empresas como Repsol en Argentina (con YPF) o a bancos como el Santander en Venezuela o a eléctricas como Iberdrola en algunos países latinoamericanos, por citar algunos ejemplos que hemos podido leer en los medios de comunicación recientemente. Como es sabido, América Latina asiste a un importante aumento en las inversiones de las principales empresas españolas internacionalizadas: en los últimos 25 años, las inversiones realizadas se han multiplicado por 12 y las alianzas estratégicas están a la orden del día.

[19] Mercados tan importantes como Brasil, China, India o Méjico demandan nuevos esquemas de relación adaptados a las peculiaridades de sus clientes (menores ingresos, mayores tasas de emprendimiento, acceso a la información, etc.) y a las formas de hacer de sus empresas. Ante estos retos, el negocio inclusivo se erige como una filosofía empresarial eficaz para adaptar los modelos empresariales, así como los productos y servicios, a la región en la que se localizan, favoreciendo el beneficio empresarial en el largo plazo y el desarrollo de su entorno. En pocas palabras, se trata de iniciativas empresariales rentables con impacto en el desarrollo de la zona o del país de destino: B+I Strategy (2013), pág. 65.

[20] B+I Strategy (2013), pág. 67.

2.3. Estrategia de internacionalización

Obviamente, la estrategia de internacionalización supone responder a media docena de preguntas como las siguientes:[21]

- **¿Debo hacerlo?** En general, la respuesta será afirmativa.[22]

- **¿Cuándo?** ¿Ahora o más adelante? En esta época, la respuesta más frecuente será: "Cuanto antes mejor".

- **¿Qué actividad de la cadena de valor internacionalizo?** ¿La comercialización, la producción, la cadena de suministro o todo ello? Lo que supone adentrarse en la esencia de una estrategia de internacionalización propiamente dicha (p.d.) que abordamos en el apartado 2.3.1.

- **¿Cómo?** ¿Qué secuencia / hitos voy a seguir y a qué ritmo? (**modelo de internacionalización**). Que formará parte también de la estrategia / plan de internacionalización (punto 2.4 de este capítulo) y, en este libro, se verá a través de los casos que se exponen a partir del capítulo 3.

- **¿Con qué inversión?** Que, también, formará parte de la estrategia / plan de internacionalización y que, por razones obvias, no podemos ilustrar en el libro.

- **¿Dónde?** ¿Cuáles van a ser mis mercados estratégicos y, dentro de ellos, cuáles van a ser estratégico prioritarios en el horizonte de planificación de mi empresa? O lo que es lo mismo, ¿cuál va a ser la estrategia de desarrollo de nuevos mercados (ver apartado 2.3.2 así como los casos expuestos a lo largo del libro)?

2.3.1. Estrategia de internacionalización p.d.

Pensando en las PYMES de nuestro entorno, la estrategia de internacionalización suele ser más una extensión de la estrategia de desarrollo de nuevos mercados[23] que, como les ocurre a muchas empresas multinacionales anglosajonas, el deseo de acceder a recursos naturales de otros países. Una vez introducidas en determinados mercados exteriores, también nuestras empresas se suelen plantear (además) conseguir costes más bajos que los que tienen en España.

Así, cada vez son más numerosas las empresas españolas que, en su búsqueda de nuevos mercados, se han abierto paso en los últimos años en los mercados exteriores, superando en muchos casos sus ventas al exterior a las obtenidas en el mercado

---

[21] Sainz de Vicuña (2013), pág. 43.
[22] Dado lo que hemos expuesto en el capítulo 1 (que el entorno actual lo exige…), no consideramos necesario abundar más en ello.
[23] El anexo 5 de Sainz de Vicuña (2015) ofrece la estrategia de Papelera Tolosana.

español. Telefónica, Repsol, Inditex, CAF, Freixenet, Punto Fa (Mango), Gamesa, Viscofán, Irizar y Danobat son algunas de estas empresas, como hemos ilustrado en el capítulo anterior.

También en algunas actividades menos propicias a la internacionalización, como la distribución comercial, cada vez son más las empresas que se están sumando a esta opción estratégica, normalmente como consecuencia del efecto desbordamiento: *C&A* y *Makro* (Holanda), *Ikea* (Suecia), *Toys "R" Us* (Estados Unidos), *Benetton* (Italia), *The Body Shop* y *Marks & Spencer* (Gran Bretaña), *Carrefour* y *Auchan* (Francia), *Tengelmann* (Alemania) son algunos de los casos más notables en el panorama internacional. En el contexto español, varias empresas del sector textil constituyen ejemplos notables de empresas con una sólida estrategia de internacionalización. Se trata obviamente de Inditex (Zara), Punto Fa (Mango), Desigual, Adolfo Domínguez, grupo Cortefiel (Cortefiel, *Springfield* y Milano) y Pronovias (líder mundial del sector de moda nupcial).

La experiencia dice que lo recomendable es combinar una estrategia global con otra local: encontrar socios locales para funciones como la distribución, y centralizar las operaciones con economías de escala o efecto aprendizaje (por ejemplo, las tecnologías de información y el equipo de gestión comercial y de marketing). Para algunos autores,[24] las empresas que desean internacionalizarse tienen cuatro opciones estratégicas:

- **Exportar el concepto**. Opción válida cuando se requiere escasa tecnología de gestión (*know how*) y, sin embargo, es muy importante la singularidad e imagen del concepto. Son los casos de *Benetton*, *The Body Shop*, Mango y de otras muchas empresas que optan por la franquicia.

- **Exportar el negocio**. Es la opción idónea cuando se requiere alta tecnología de gestión y la singularidad e imagen del concepto son también muy importantes. Es el caso más frecuente en empresas de grandes almacenes (El Corte Inglés) o de cadenas de hipermercados.

- **Exportar la tecnología de gestión**. Cuando tanto la tecnología de gestión como la singularidad e imagen del concepto son limitadas. Es lo que *Price / Costco* ha hecho en Corea.

- **Operador superior**. Cuando se requiere alta tecnología de gestión pero el concepto no reviste ninguna singularidad ni tiene ninguna imagen diferenciada. Es lo que está haciendo *Tengelmann* en Estados Unidos.

---

[24] Barth, K., Karch, N.J., McLaughlin, K. y Smith Shi, C. (1996): *"Global retailing. Tempting trouble?"*, *The McKinsey Quarterly*, nº 1, págs. 116-125.

Las empresas españolas de distribución de productos de confección que están **en** pleno **proceso de internacionalización** lo están haciendo de la siguiente forma:

- El Corte Inglés, el grupo Cortefiel, Inditex y Adolfo Domínguez desarrollan e invierten en tiendas de titularidad propia, *"exportando el negocio".*

- No obstante, también se desarrollan, en determinados mercados, a traves de *joint ventures* o licencias: Adolfo Domínguez en Japón; Armand Basi en diversos países europeos; Springfield en Alemania, Austria y Suiza; y Zara en Japón, *"exportando el concepto".*

- Otros lo hacen a través de franquicias: Mango, Amichi, Pronovias, En Mangas de Camisa, Roberto Verino, Don Algodón, Coronel Tapioca, Artesanos Camiseros y el grupo Induyco (Tintoretto y Síntesis). En estos casos, estas empresas se apoyan en el know how y en el esfuerzo financiero de un socio local para penetrar los mercados exteriores a los que han decidido dirigirse. Estas empresas *"exportan el concepto".*

También es oportuno recordar aquí a empresas fabricantes del sector de confección o del calzado que han empezado a abrir sus propios establecimientos, internacionalizándose a través de **canales de distribución propios**:

- Mayoral, en confección infantil.

- Sáez Merino (Lois, Cimarrón y Caroche), a través de la alianza con un grupo de distribución asiático para comercializar sus productos en Extremo Oriente.

- Grupp Internacional (Panama Jack) tiene filiales comerciales en Holanda, Alemania y Estados Unidos para desarrollar tiendas propias monomarca.

- Camper, empresa líder en calzado para el segmento joven, tiene tiendas monomarca en propiedad en España, París, Milán, Colonia y Londres.

Finalmente, como suele ser habitual que se piense que las experiencias de internacionalización –sobre todo si se trata de empresas grandes y multinacionales– siempre son positivas, quizás convenga recordar algunos de los **fracasos** que se citan[25] en el proceso de expansión internacional de las empresas de distribución detallista:

- Han fracasado en el mercado español la holandesa *Ahold*, la irlandesa *Dunnes Stores* y la norteamericana *Sears Roebuck*.

- Fracasaron en el exterior las siguientes empresas españolas: El Corte Inglés, en Estados Unidos; Induyco, en Francia, y Q-Ellos, en Francia, Italia, Portugal y Reino Unido.

- *Benetton* fracasó en Suecia; *Karstadt* en Francia; *Next* y *Marks & Spencer* en Alemania y las norteamericanas *J.C. Penney* y *Tandy Corporation* tampoco tuvieron éxito en Europa.

En otro orden de cosas, en 1999, la cadena *C&A* cerró sus 114 establecimientos que tenía en el Reino Unido tras acumular unas pérdidas de 400 millones de euros en los últimos cinco años. En España, hizo lo mismo con sus centros de Badalona, Córdoba y Pontevedra.

---

[25] Cerviño, J. (1998): "Las empresas de distribución de productos de confección", Distribución y Consumo, nº 38, febrero/marzo, págs. 50-67.

Sin embargo, otros[26] señalan que existen seis distintas opciones estratégicas para una empresa que actúa en los mercados internacionales:

1. **Autorizar a otras empresas a utilizar nuestra propia tecnología** para fabricar y distribuir los productos de la compañía, en cuyo caso los ingresos provenientes del exterior serán sólo los correspondientes al pago de *royalties* fruto del acuerdo de colaboración establecido.

2. Mantener una base de producción nacional y **exportar los productos a mercados exteriores**, a partir de redes de distribución propias o participadas.

3. Seguir una **estrategia multinacional**, de forma que la estrategia internacional de la empresa se cree país por país, para que la adaptación a las características de cada mercado exterior sea máxima.

4. Seguir una **estrategia global de bajo costo**, en la que la estrategia se basa en que la empresa sea un proveedor de bajo costo para los clientes en todos o casi todos los mercados estratégicamente importantes del mundo.

5. Seguir una **estrategia global de diferenciación**, lo que significa que la empresa diferencia sus productos de la misma forma en todos los países para conseguir un mismo posicionamiento en todo el mundo.

6. Seguir una **estrategia global de enfoque**, lo cual supone que la estrategia de la empresa consiste en atender el mismo nicho en todos los mercados estratégico-prioritarios en los que esté.

Sea una u otra la clasificación utilizada, lo que parece evidente es que a las opciones estratégicas competitivas que tiene toda empresa en cualquier mercado (por ejemplo, las tres últimas citadas) hay que añadir las propias de su actuación en mercados foráneos (el resto de las enunciadas).

2.3.2. Estrategia de marketing internacional

Como hemos apuntado en varias publicaciones, entendemos que la estrategia de marketing incluye la estrategia de cartera (es decir, qué productos en qué mercados), la estrategia de segmentación y de posicionamiento y, por supuesto, la estrategia funcional (más conocida como marketing mix). Pues bien, de todo ello, nos vamos a centrar aquí en la estrategia glocal, en la estrategia de desarrollo de nuevos mercados y en la gestión de las marcas.

El lector se dará cuenta de que el mensaje principal que queremos enfatizar aquí es la conveniencia de seguir una estrategia de marketing glocal, atendiendo a los problemas asociados a la gestión de la(s) marca(s).

---

[26] Thomson, A. y Strickland, A. (1998), pág. 153.

2.3.2.1. Estrategia "glocal"

Las diferencias socioeconómicas, políticas, culturales y mercantiles de cada mercado, así como el hecho de que la empresa se habrá fijado objetivos diferentes en cada mercado, nos obligarán a definir estrategias de marketing distintas en unos respecto a otros.

Así, muchas empresas siguen una estrategia "glocal": una estrategia corporativa global común y una adaptación de la estrategia funcional (normalmente, la estrategia de comercialización) a los retos que nos plantea el correspondiente mercado local.

A juicio de Czinkota, M. R. y Ronkainen, I. A. (2014), *gran parte de las empresas de mayor éxito en el mundo han adoptado un enfoque organizativo que ofrece una dirección estratégica global clara y una flexibilidad que les permite adaptarse a las oportunidades y necesidades locales (…). Han adoptado un enfoque glocal incorporando las siguientes cuatro dimensiones en sus organizaciones*:

- *Visión compartida* (citan los casos de Johnson & Johnson, Coca Cola, Nestlé y Samsung).

- *Ampliación de perspectivas: es decir, desarrollo de una mentalidad de cooperación entre las organizaciones de una región concreta o del país objetivo en general para garantizar la aplicación eficaz de las estrategias globales (…) permitiendo la máxima flexibilidad a nivel de mercado del país.*

- *Gestores capaces,* para ello han pasado a definir UNEs a escala mundial y gerentes de línea de producto, enfatizando la dimensión producto - geografía.

- *Cooperación interna,* movilizando el capital intelectual que hay dentro de la organización (Procter & Gamble es un caso paradigmático al respecto).

2.3.2.2. Estrategia de desarrollo de nuevos mercados

Esta estrategia puede traducirse en una expansión geográfica respecto a su mercado de origen,[27] en la búsqueda de nuevos segmentos de mercado[28] o consiguiendo nuevos clientes / usuarios para los segmentos actuales.[29]

---

[27] Por ejemplo, dentro del sector de distribución: Mercadona a nivel nacional y Punto Fa, Cortefiel, y sobre todo Inditex, a nivel internacional.

[28] Siguiendo con el mismo sector, por ejemplo, el grupo Bilbao, al desarrollar sus tiendas Fosco (hoy en la órbita de la empresa francesa *Andrée*, que estaban dirigidas a un segmento de mercado distinto al de sus establecimientos Zapatodos).

[29] Induciendo a la prueba con promociones, variando los precios o mediante un mayor apoyo a la promoción y la publicidad –opción habitual de cualquier empresa de distribución–.

Según el periódico Expansión, a finales del siglo pasado *"Cortefiel se puso como objetivo estratégico crecer un 20% anual en los próximos ejercicios y, para ello, sus directivos iniciaron un plan de expansión que contempló la compra de locales por toda España"*, así como la compra de cualquier competidor "que se ponga a tiro". Para muestra, valgan los siguientes ejemplos:

Cortefiel adquirió 26 tiendas de la firma francesa *Classe Affairs* por 9 millones de euros que posteriormente se abrieron con las enseñas Springfield y Milano. Algo similar hizo en Bélgica y en Grecia, si bien con socios locales.

En 1998 compró parte del negocio del grupo británico *Sears* en España.

La última apuesta de esta cadena ha sido su alianza con el grupo alemán *Douglas* para crear la mayor cadena de perfumerías de España.

Hechos como estos demuestran que *"su filosofía se basaba en dos principios: ampliar el negocio en el exterior (89 tiendas fuera de España, en el año 2000) y la especialización* (Milano para trajes de hombre a medida, Springfield centrado en la ropa masculina dirigida a los jóvenes y con precios asequibles, *Women's Secret* dedicada a lencería femenina)".

Con el fin de ilustrar la aplicación práctica de este nivel de estrategia, a continuación recogemos la estrategia de cartera definida para una pequeña empresa dedicada a la comercialización de ajos: Coopaman.

Se trata de una empresa con una estructura muy pequeña y con un nivel de gestión muy elemental, por lo que no está preparada para utilizar en su estrategia de cartera herramientas "sofisticadas" como la matriz de *McKinsey* o las del BCG.

Como es una empresa pequeña, a pesar de su buena posición competitiva en el mercado español, a la hora de tomar decisiones tiene muy presentes sus medios materiales y humanos. De ahí que los principios inspiradores de su estrategia de cartera sean:

1. En el mercado español, la empresa pretende seguir una estrategia de penetración vendiendo sus productos actuales en un mercado que ya domina.

2. Paralelamente, sigue una estrategia de desarrollo de nuevos mercados, vendiendo sus productos actuales en nuevos mercados geográficos, tal como se recoge en el cuadro 2.1.

CUADRO 2.1.

EJEMPLO DE ESTRATEGIA DE DESARROLLO DE NUEVOS MERCADOS (COOPAMAN)

Mercados	Año 1	Año 2	Año 3
1. ESTRATÉGICO PRIORITARIOS	España Inglaterra Alemania Países Nórdicos	Aumentar en los del año 1: Austria Portugal	**Objetivo:** Ser los primeros exportadores españoles de ajos en los países que constituyen nuestro mercado objetivo.
2. ESTRATÉGICOS	Francia Italia Portugal Austria	Aumentar en los del año 1: Senegal Colombia Brasil	**Objetivo:** Ser los primeros exportadores españoles de ajos en los países que constituyen nuestro mercado objetivo: Uruguay Países Bajos Sudáfrica
3. BASE (o RESTO)	Resto Europa África América (s/objetivos)	Aumentar en los del año 1: Senegal Colombia Brasil	**Objetivo:** Ser los primeros exportadores españoles de ajos en los países que constituyen nuestro mercado objetivo: Uruguay Países Bajos Sudáfrica

■ Viscofán es un bonito ejemplo de adopción de la estrategia de desarrollo de nuevos mercados hasta sus últimas consecuencias. En efecto, compra, en 1990, la empresa alemana *Naturín* –que facturaba casi tres veces más que la empresa navarra– por más de 96 millones de euros, para: consolidar su posición en el mercado alemán; colocarse en una posición privilegiada para acceder a los mercados de la Europa del Este; ampliar su gama de productos (hasta entonces las envolturas celulósicas, utilizadas en la fabricación de salchichas y otros productos cárnicos) a las envolturas de plástico y de colágeno comestible y no comestible; acceder al mercado norteamericano (donde tenía vetada la entrada con sus envolturas celulósicas por cuestiones arancelarias); etc.

Pero no se acaban ahí las pretensiones de expansión de este grupo, ya que sabe perfectamente que para superar el listón de los 264 millones de euros de facturación correspondientes a 1994, debe profundizar en esta estrategia de desarrollo de nuevos mercados, lo que le ha posibilitado que el 85% de sus ventas vayan a mercados exteriores. A tal efecto se ha propuesto liderar el negocio de tripas artificiales en Occidente, y se ha planteado como objetivo prioritario los mercados de Sudamérica y Asia, incluido el difícil mercado japonés, además del prometedor pero costoso mercado de la antigua Unión Soviética. Para ello, ha creado una oficina comercial en Moscú y Singapur, una planta de fabricación de tripas artificiales en Brasil (como punta de lanza para lograr ser más competitivo en los países del cono sur), etc. (Fuente: *Actualidad Económica*, 18 de julio de 1994, págs. 20-22).

Viscofán cerró el 10 de marzo de 2015 la venta de Industrias Alimentarias de Navarra (IAN) y sus empresas dependientes por 55,8 millones de euros a una sociedad gestionada por *Portobello Capital Gestión*. La operación se realizó de acuerdo a los planes establecidos de centrar la estrategia, así como todos los esfuerzos y recursos en el negocio de envolturas, que cuenta con sólidas perspectivas de crecimiento a corto y medio plazo. Viscofán facturó, en 2013, 797,6 millones de euros, con un resultado neto de 106,5 millones.

continúa...

■ Algunos de los múltiples titulares que continuamente se refieren a este tipo de estrategia son: *"**Mecalux** destina 96.160 € a su crecimiento en América Latina. Instala una factoría en México y un centro logístico en Argentina"* (*Cinco Días*, 13 de abril de 1999); *"Leche Pascual prepara su asalto para escapar de la crisis del mercado español"* (*La Gaceta de Lunes*, 21 de diciembre de 1998); o *"**Puleva** acuerda con Soprole la fabricación y distribución de sus productoras en Chile y ultima pactos en Europa y Suramérica. Exportar tecnología en lugar de comprar empresas, ésa es la nueva estrategia internacional de Puleva, según su vicepresidente Guillermo Mesonero"* (*Cinco Días*, 15 de febrero de 1999).

2.3.2.3. La gestión de las marcas

Franch, J. (2014) se preocupa de los seis retos de la globalización para la gestión de las marcas y de los problemas asociados:

- Problemas asociados al significado de una marca, por lo que recomienda que, si suena mal en un país, es conveniente cambiarla o adaptarla al mercado local.

- Problemas asociados a la protección legal de la marca, para lo que recomienda registrar la marca y asegurarse de que está protegida.

- Problemas asociados a la dificultad de recordar una marca en un idioma distinto, por lo que recomienda construir un significado claro para los consumidores.

- Problemas asociados a distintos posicionamientos en diferentes mercados, para lo que muchas veces la solución pasa por gestionar marcas distintas en países diferentes.

- Problemas asociados a la complejidad de gestionar un portafolio global de marcas, estableciendo de manera muy clara hasta dónde llega la autonomía del *partner* local y estableciendo unas reglas de juego claras y estrictos mecanismos de control.

- Problemas asociados a la internacionalización de los valores vinculados a la marca que conviene hacerlo con cierta flexibilidad, apoyándose más en unos u otros valores según el mercado objetivo, sin perder obviamente nuestra imagen de marca global y sin caer en inconsistencias.

2.4. Contenido de un plan de internacionalización

La conveniencia de contar con un plan de internacionalización se justifica por los siguientes argumentos:

- Amplía los horizontes del mercado de su empresa de forma planificada, por lo que los riesgos que conlleva la entrada en nuevos mercados se minimizan.

- Mejora el conocimiento de los mercados, detecta aquellos que mejor se adaptan a las características de su empresa e, igualmente, ayuda a su adaptación a las necesidades de los mercados.

- Propicia el cambio necesario –interno en su empresa– para que pueda acometer la entrada en nuevos mercados sin perjuicio de los mercados actuales.

- Ayuda a buscar la mejor forma de internacionalizarse: fórmulas de crecimiento, estrategias de comercialización, etc.

- Conciencia a la dirección de la magnitud del esfuerzo necesario para entrar en dichos mercados.

- Y, en definitiva, da una oportunidad de crecimiento a su empresa en una coyuntura en la que su mercado interno quizás no posibilite el crecimiento deseado.

En otras palabras, un plan de internacionalización es un instrumento muy útil para:

- Gestionar el crecimiento según un plan y no a merced de los avatares del mercado.

- Reducir el riesgo empresarial que existe a la hora de introducirse en mercados exteriores.

- Conocer mejor sus capacidades para abordar la internacionalización.

- Seleccionar los mercados más atractivos, definiendo la forma de entrada más efectiva a través de la estrategia comercial más eficaz y la adaptación de la propuesta de valor de su empresa a las necesidades de los mercados internacionales seleccionados.

De ahí que entendamos el plan de internacionalización como la concreción de la estrategia de crecimiento de la empresa en lo referente a los mercados exteriores. Este plan parte del análisis de la situación de la empresa para, a continuación, identificar y priorizar los mercados exteriores diana, fijar los objetivos de crecimiento perseguidos así como las estrategias y actuaciones necesarias para conseguirlos (gráfico 2.4).

GRÁFICO 2.4.
METODOLOGÍA PARA ELABORAR EL PLAN DE INTERNACIONALIZACIÓN

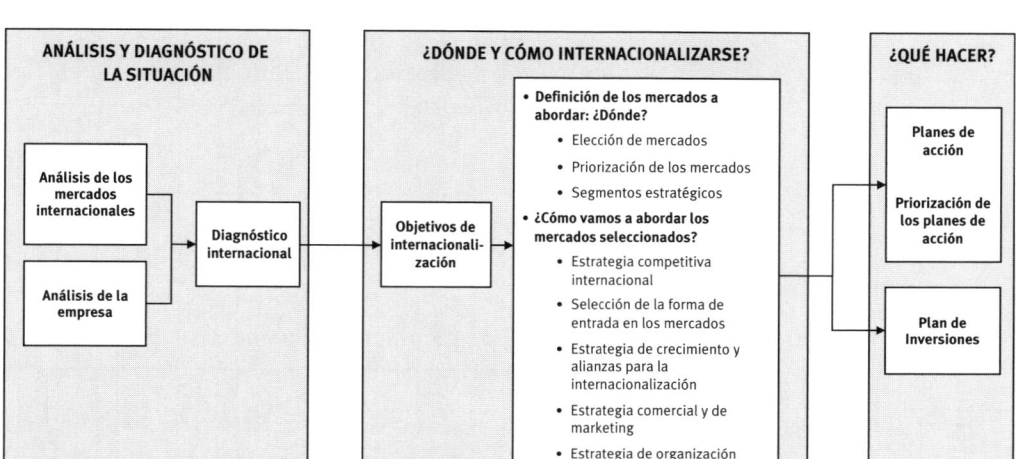

Con respecto a la metodología de planificación que proponemos,[30] los aspectos más específicos de un plan de internacionalización son:

1. En cuanto al **análisis externo**:

El análisis externo busca conocer el entorno en el que actúa la empresa (para identificar posibles oportunidades y amenazas) y en otras zonas geográficas internacionales que puedan ser de interés. Para ello se podrían analizar variables como las siguientes: estimación del tamaño de los mercados y de su evolución, tendencias de los mercados, segmentos de mercado y factores clave de éxito (gráfico 2.5), grupos estratégicos de competidores (gráfico 2.6), etc.

---

[30] Ver Sainz de Vicuña (2014a) y (2015).

Gráfico 2.5.
EJEMPLOS ILUSTRATIVOS PARA EL ANÁLISIS EXTERNO

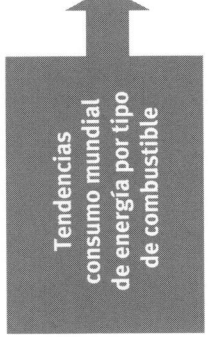

Tendencias consumo mundial de energía por tipo de combustible

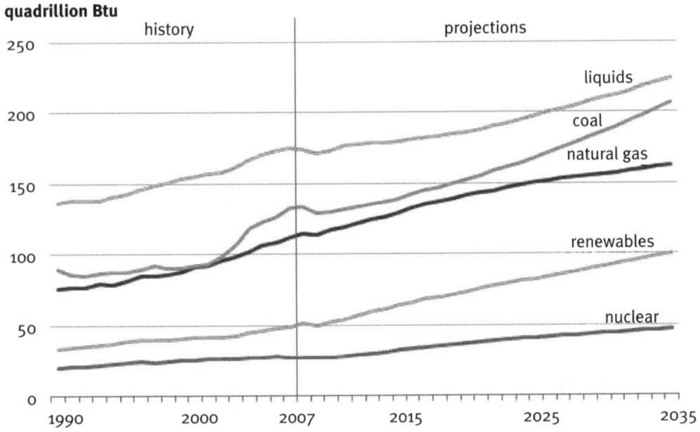

quadrillion Btu
history
projections
250
200
150
100
50
0
liquids
coal
natural gas
renewables
nuclear
1990
2000
2007
2015
2025
2035

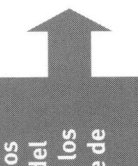

Análisis de los segmentos del mercado y de los factores clave de éxito

SEGMENTOS	Importancia relativa de cada segmento (%)		ESCALA DE VALORES		Empresa		PRINCIPAL COMPETIDOR	
	Importancia relativa en el mercado	Importancia relativa para la empresa	Valor	%	PUNTOS FUERTES	PUNTOS DÉBILES	PUNTOS FUERTES	PUNTOS DÉBILES
Segmento 1	26%	30%	Calidad de producto	10%	x	x	x	
			Calidad de servicio	5%		x		x
			Imagen de marca	30%		x	x	
			Precio	55%	x		x	
			Total	100%				
Segmento 2	31%	38%	Calidad de producto	12,5%	x	x	x	
			Calidad de servicio	12,5%		x	x	x
			Imagen de marca	40%		x	x	
			Precio	35%	x			x
			Total	100%				
Segmento 3	37%	23%	Calidad de producto	35%	x	x	x	
			Calidad de servicio	15%		x	x	
			Imagen de marca	40%		x	x	
			Precio	10%	x			x
			Total	100%				
Segmento 4	6%	9%	Calidad de producto	30%	x		x	
			Calidad de servicio	20%		x	x	
			Imagen de marca	40%		x	x	x
			Precio	10%	x			x
			Total	100%				
TOTAL	100%	100%						

GRÁFICO 2.6.
EJEMPLO ILUSTRATIVO DE UTILIZACIÓN DE LA MATRIZ DE GRUPOS ESTRATÉGICOS EN EL ANÁLISIS EXTERNO

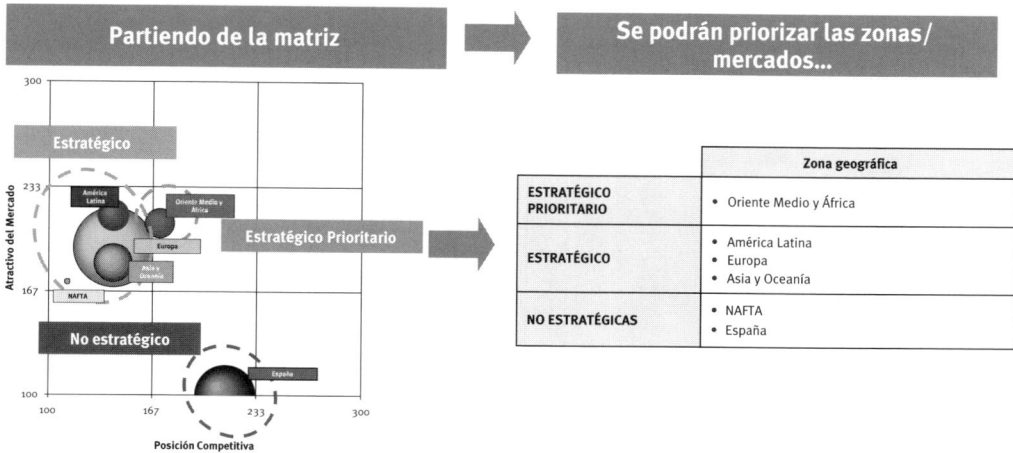

2. En cuanto al **análisis interno**:

El análisis interno busca realizar una evaluación de la empresa para detectar sus debilidades y fortalezas para su internacionalización. Para ello se podrían contemplar aspectos como los siguientes: evaluación de la estrategia seguida y la consecución de los objetivos marcados en los últimos años, definición del negocio actual, evolución de las ventas y los márgenes (gráfico 2.7), análisis de las posibilidades de crecimiento en los mercados actuales para definir el crecimiento que se busca en los mercados internacionales, etc.

Gráfico 2.7.

EJEMPLOS ILUSTRATIVOS PARA EL ANÁLISIS INTERNO

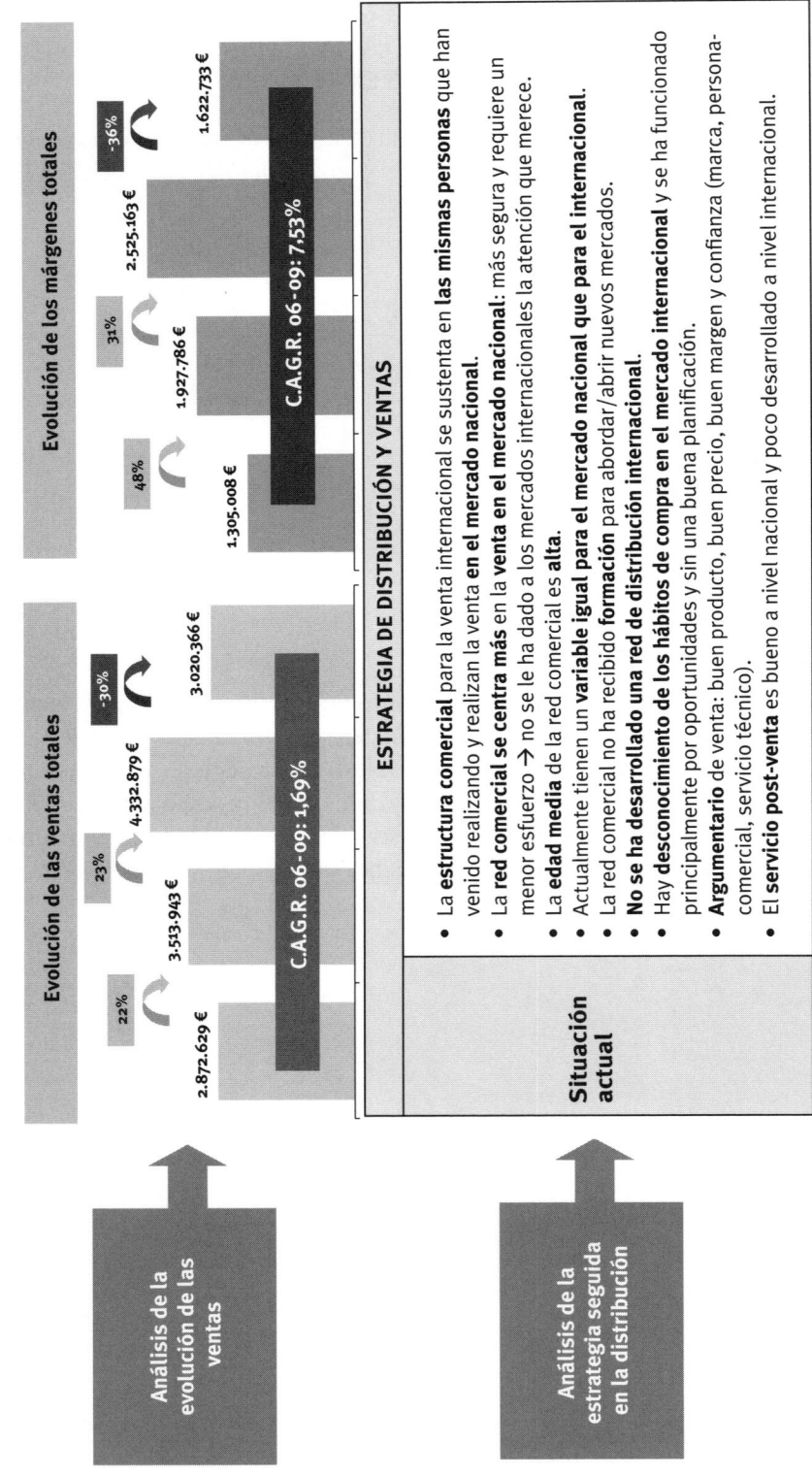

Evolución de las ventas totales

22% 2.872.629 €
23% 3.553.943 €
-30% 4.332.879 €
3.020.366 €
C.A.G.R. 06-09: 1,69%

Evolución de los márgenes totales

48% 1.305.008 €
31% 1.927.786 €
-36% 2.525.163 €
1.622.733 €
C.A.G.R. 06-09: 7,53%

ESTRATEGIA DE DISTRIBUCIÓN Y VENTAS

Situación actual

- La **estructura comercial** para la venta internacional se sustenta en **las mismas personas** que han venido realizando y realizan la venta **en el mercado nacional.**
- La **red comercial se centra más** en la **venta en el mercado nacional:** más segura y requiere un menor esfuerzo → no se le ha dado a los mercados internacionales la atención que merece.
- La **edad media** de la red comercial es **alta.**
- Actualmente tienen un **variable igual para el mercado nacional que para el internacional.**
- La red comercial no ha recibido **formación** para abordar/abrir nuevos mercados.
- **No se ha desarrollado una red de distribución internacional.**
- Hay **desconocimiento de los hábitos de compra en el mercado internacional** y se ha funcionado principalmente por oportunidades y sin una buena planificación.
- **Argumentario** de venta: buen producto, buen precio, buen margen y confianza (marca, personal comercial, servicio técnico).
- El **servicio post-venta** es bueno a nivel nacional y poco desarrollado a nivel internacional.

Análisis de la evolución de las ventas

Análisis de la estrategia seguida en la distribución

3. **Diagnóstico** de la situación:

Como en cualquier otro tipo de plan, del resultado del análisis interno y externo realizados se obtendrá la foto actual de la empresa y su sector por medio de herramientas como, por ejemplo, el análisis DAFO (Debilidades, Amenazas, Fortalezas y Oportunidades) y la matriz de posición competitiva de la empresa respecto a los factores clave de éxito en los mercados en los que actúa.[31]

4. **Objetivos** internacionales:

El propósito de este apartado es que el equipo de dirección determine, a partir del diagnóstico realizado, los objetivos que quiere alcanzar mediante su internacionalización. Para ello se definirán los objetivos cualitativos y cuantitativos para los mercados internacionales (gráfico 2.8).

GRÁFICO 2.8.
EJEMPLO ILUSTRATIVO DE FIJACIÓN DE OBJETIVOS INTERNACIONALES

OBJETIVOS CUALITATIVOS

- Alcanzar el nivel de rentabilidad deseada (BAI/ventas 5% en el segundo semestre de 2016 y 10% en 2017).
- Aumentar la base de clientes.
- Incrementar la **fidelidad** de los clientes.
- Afianzar la notoriedad y la imagen de empresa en el mercado.
- Afianzar el equipo humano: profesional formado y motivado.
- Optimizar y mejorar los procesos mejorando la calidad.

EJEMPLO ILUSTRATIVO DE OBJETIVOS CUANTITATIVOS

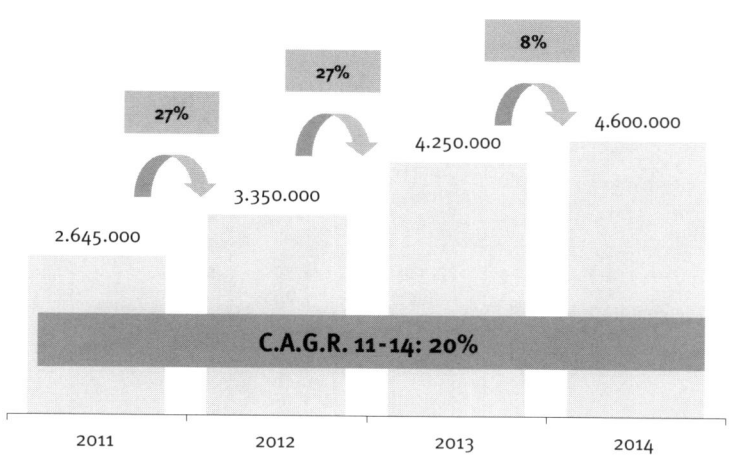

---

[31] Ver Sainz de Vicuña (2015).

5. **Decisiones** estratégicas:

Una vez definido el objetivo (**qué queremos conseguir**), se puede definir la estrategia (**cómo lo vamos a conseguir**). En este sentido, se tomarían las siguientes decisiones:

5.1. **Mercados a abordar**:

- **Elección de los mercados**: Los mercados internacionales que sean interesantes para la empresa se agruparán para crear grandes grupos para, en función de su atractivo y las posibilidades y características de la empresa y su adecuación (oferta, medios, cultura de empresa, etc.), seleccionar dichos mercados.

- **Priorización de los mercados**: Una vez identificados los grupos de mercados a los que la empresa ha decidido dirigirse, se analizará su posición competitiva así como el atractivo de dichos mercados. Con ello se realizaría una priorización que daría como fruto la clasificación de estos mercados en estratégico prioritarios, estratégicos o no estratégicos (gráfico 2.6).

5.2. **Segmentación y posicionamiento**: En los mercados seleccionados se realizará una segmentación, analizándose la posición competitiva de la empresa en cada uno de ellos con respecto al principal competidor. En este punto se tratará de analizar los segmentos de mercado más interesantes para la empresa en los mercados internacionales seleccionados (gráfico 2.9).

GRÁFICO 2.9.
EJEMPLO ILUSTRATIVO DE FIJACIÓN DE LA ESTRATEGIA DE SEGMENTACIÓN Y DE POSICIONAMIENTO

ESTRATEGIA DE SEGMENTACIÓN			FCE		PUNTOS FUERTES	Estrategia de POSICIONAMIENTO
ESTRATÉGICO PRIORITARIOS	Segmento 1	20%	Servicio Producto Marca Precio	30% 20% 25% 25%	Servicio (VC) Producto (VC) Marca	Calidad de servicio Calidad de producto Imagen de marca
	Segmento 2	70%	Servicio Producto Marca Precio	10% 10% 30% 50%		
ESTRATÉGICOS	Segmento 3	10%	Servicio Producto Marca Precio	35% 45% 10% 10%	Servicio (VC) Producto	Calidad de servicio Calidad de producto

5.3. ¿Cómo vamos a abordar los mercados seleccionados?:

- **Estrategia competitiva internacional**: la empresa deberá optar por la estrategia de liderazgo en costes, diferenciación o focalización para su actividad internacional, optando incluso por diferentes estrategias para los países a los que se dirija.

- **Selección de la forma de entrada en los mercados:** definición de la mejor forma de entrar en dichos mercados en aspectos relativos a la creación de filiales, entrada a través de distribuidores, etc. Para ello deberán tenerse en cuenta cuestiones como:

  – Las barreras legales de entrada.

  – El conocimiento del mercado.

  – El coste económico.

  – Las diferencias culturales e idiomáticas y la capacidad de solventarlas que tiene la empresa.

  Con todo esto se planteará la forma óptima de entrada en el mercado.

- **Estrategia de crecimiento y alianzas para la internacionalización**: en función de la estrategia seleccionada se determinará qué recursos propios son necesarios para la internacionalización de la empresa así como posibles alianzas a establecer. ¿Cómo se materializaría ese crecimiento? ¿Se utilizarían medios propios o colaboraciones externas? (gráfico 2.10).

- **Estrategia comercial:** con la finalidad de desarrollar la actividad comercial internacional, se definirá la estructura necesaria para realizar esta actividad, se definirán las funciones del equipo comercial y se diseñará la estrategia general a seguir en el ámbito internacional y, si fuera necesario, estrategias comerciales diferenciadas por zonas y/o países (gráfico 2.11).

- **Estrategia de marketing:** en este apartado se planificaría la estrategia de marketing, trabajándose aspectos como los que se definen a continuación:

  – Estrategia de **productos**:

    Se definirían los productos con los que se acudiría a cada mercado. Por tanto, se trataría de centrar si en los mercados internacionales se ofertarían todos los productos, sólo algunos, si habría que adaptar / desarrollar productos, desarrollar alguna gama especial, etc.

  – Estrategia de **precios**:

    Una vez concretada la estrategia de productos, se plasmaría la política de precios a seguir en los mercados seleccionados.

  – Estrategia de **distribución**:

Posteriormente se definirá la estrategia de distribución, concretando la forma en la que se interactuará con los clientes en los países seleccionados y los canales a desarrollar. En este punto se abordarán también aspectos –según la necesidad– como el *trade marketing*, el marketing relacional, etc.

– Estrategia de **comunicación:**

Por último, dentro de la estrategia de marketing se planteará la estrategia de comunicación para dichos mercados.

• **Estrategia de organización:**

Con la finalidad de dar respuesta a las nuevas necesidades derivadas de la estrategia de internacionalización planteada, será necesario redefinir la organización interna, adaptándola a la nueva realidad internacional que la empresa quiere desarrollar en los próximos años.

GRÁFICO 2.10.
EJEMPLO ILUSTRATIVO DE ESTRATEGIA DE CRECIMIENTO

Mercados		Estrategia de crecimiento	
		Crecimiento Interno	Crecimiento Externo
Actuales	España	Reasignación de recursos comerciales Fortalecimiento de delegaciones	Alianzas con red de distribuidores
	Francia	Fortalecimiento de la filial Reasignación de recursos comerciales	Alianzas que proporcionen contactos
	Brasil	Fortalecimiento de la filial Reasignación de recursos comerciales	Alianzas que proporcionen contactos
	Portugal	Reasignación de recursos comerciales	Alianzas que proporcionen contactos
Nuevos	Italia	Seguimiento desde central del aliado italiano Reasignación de recursos comerciales	Alianza / adquisición de empresa del sector Alianzas complementarias que proporcionen contactos
	Chile	Reasignación de recursos comerciales Apoyo de la filial de Brasil (será un apoyo marginal)	Alianzas que proporcionen contactos Alianzas con las que trabajar conjuntamente el mercado (joint ventures, participaciones minoritarias, etc.)
	Colombia		
	Argentina		

GRÁFICO 2.10. (continuación)

FUNCIONES	Crecimiento Interno	Crecimiento Externo
Vigilancia y conocimiento del mercado	X	
Antena comercial		X
Identificación personas clave	X	
Visitas comerciales de prospección	X	
Visitas de obtención de información	X	
Preparación de la oferta		X
Negociación del proyecto		X
Ejecución del proyecto		X
Seguimiento y apoyo post-venta		X
Visitas de fidelización		X

GRÁFICO 2.11.
EJEMPLO ILUSTRATIVO DE ESTRATEGIA COMERCIAL

	Zonas estratégicas	Zonas no estratégicas
Medios disponibles suficientes	Zona estratégica y que disponemos de medios suficientes. **Continuar con la estrategia actual pero afinando algunos puntos**	Zona no estratégica y que disponemos de medios importantes. ¡OJO!
Medios disponibles insuficientes o nulos	Zona estratégica y que no disponemos de medios suficientes. ¡OJO!	Zona no estratégica y que no disponemos de medios suficientes. **Mantenerlo como está**

6. Decisiones operativas

Para la puesta en marcha de las decisiones adoptadas en los apartados anteriores, se definen una serie de acciones que concretan y facilitan la implementación de la estrategia internacional. Estas acciones se priorizan y se asignan a un responsable para su ejecución en las fechas previstas (gráfico 2.12).

GRÁFICO 2.12.
EJEMPLO ILUSTRATIVO DE DECISIONES OPERATIVAS

ESTRATEGIA	ACCIÓN	RESPONSABLE	PLAZO
Generar canales de venta en los mercados objetivo	Buscar distribuidores en Chile.		
	Buscar distribuidores en Perú.		
	Buscar distribuidores en Colombia.		
	Buscar distribuidores en Brasil.		
	Buscar distribuidores en Arabia Saudí.		
	Buscar distribuidores en Emiratos Árabes.		
Consolidar las relaciones con los distribuidores actuales en Asia y Oceanía	Establecer un calendario de contactos para profundizar la relación con los distribuidores coreanos y chinos. Ferias conjuntas. Invitación a España.		
Completar la red de distribución en Asia y Oceanía	Buscar distribuidores en Vietnam.		
	Buscar distribuidores en Singapur.		
	Buscar distribuidores en Indonesia.		
	Buscar distribuidores en Australia.		

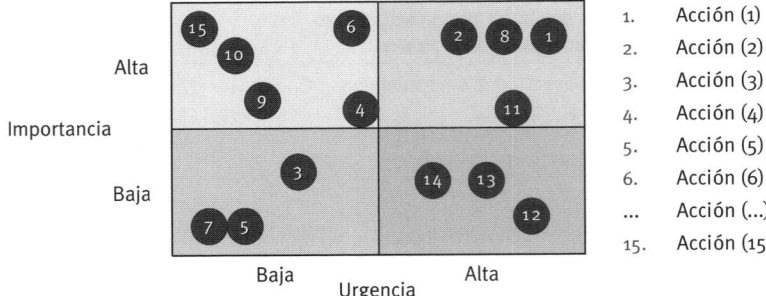

1. Acción (1)
2. Acción (2)
3. Acción (3)
4. Acción (4)
5. Acción (5)
6. Acción (6)
... Acción (...)
15. Acción (15)

Ahora bien, como se verá en los casos que se presentan a lo largo del libro, cada empresa tiene su propio recorrido y, por razones diversas, el modelo de internacionalización de cada una de las empresas citadas ha sido distinto y probablemente sólo alguna de ellas ha seguido el modelo descrito en este apartado.

2.5. Resumen

La internacionalización es una estrategia de obligado cumplimiento para cualquier empresa, incluida la PYME. Pero, aunque la internacionalización empieza con unos primeros pasos en la exportación,[32] hasta que no se dan pasos sólidos en la inversión exterior no podemos hablar de una auténtica internacionalización de la empresa.

El alcance de la internacionalización es muy rico y diverso, existiendo tres grandes hitos: la exportación, la concesión de licencias y la inversión directa en el exterior.

La **exportación** puede ser directa o indirecta. Según se trate de operaciones realizadas desde el departamento de exportación (exportación directa) o mediante agentes independientes o distribuidores en el país de destino (en estos dos últimos casos se trata de una exportación indirecta). Se trata de los primeros pasos que cualquier empresa da en su proceso de internacionalización, máxime si eres una PYME y, en consecuencia, no dispones de suficientes recursos para crear tu propia red de distribución comercial.

Por su relevancia para la PYME, hemos resaltado la importancia de la **estrategia de entrada basada en la cooperación con otras empresas**, que comparten con nosotros inversiones (en recursos y capacidades) y riesgos. Las fórmulas de cooperación pueden ser tan diversas como las licencias, los consorcios de exportación,[33] los contratos de gestión, la fabricación por contrata, el *piggybacking* o las alianzas internacionales, entre las que cabe destacar las *joint ventures*.

El proceso de **internacionalización** más convencional suele ser: primero centrarse en el mercado local, para hacer luego ciertas exportaciones irregulares, e inmediatamente pasar a contar con agentes locales. El paso siguiente suele ser hacer exportaciones directas, establecer alianzas con terceros y, finalmente, hacer las pertinentes inversiones en los mercados estratégicos elegidos.

En cualquier caso, ante una decisión de tanto calado, usted debe plantearse las siguientes preguntas clave, una vez decidido internacionalizarse:

- **¿Cuándo?** ¿Ahora o más adelante?

- **¿Qué actividad de la cadena de valor internacionalizo?** ¿La comercialización, la producción, la cadena de suministro o todo ello?

- **¿Dónde?** ¿Cuáles van a ser mis mercados estratégicos y, dentro de ellos, cuáles van a ser estratégico prioritarios en el horizonte de planificación de mi empresa?

- **¿Cómo?** ¿Qué secuencia/hitos voy a seguir, a qué ritmo y con qué nivel de inversión y de riesgo? (**modelo de internacionalización**).

- **¿Con qué inversión?** Que formará parte del **plan de internacionalización**.

---

[32] Aunque sea con exportaciones irregulares.
[33] Que cuentan con el apoyo del ICEX.

Capítulo 3
Internacionalización de Centork

"El éxito es una cuestión de perseverar cuando los demás ya han renunciado".

W. Feather

3.1. Emprendimiento en la creación de Centralair

Los años sesenta del siglo pasado, contemplados desde la distancia nostálgica, suelen describirse con el ingenuo colorismo de los *hippies,* mientras parece sonar de fondo alguna de las canciones de los *Beatles*. Sin embargo, no todo fueron flores, paz y amor. En el horizonte económico surgieron oscuros nubarrones que no hacían presagiar un futuro muy esperanzador. De hecho, en 1967 sonaron algunas señales de alarma para la economía europea y a finales de ese año se produjo una cascada de devaluaciones que la libra esterlina tuvo el dudoso honor de iniciar. Como fichas de dominó, el resto de monedas europeas siguieron el mismo camino. En España, la peseta se devaluó y el gobierno se vio en la necesidad de adoptar con toda urgencia una política económica calificada como austera.

3.1.1. Una feliz intuición

Vistas así las cosas, no parecía el mejor de los momentos para lanzarse a la creación de una nueva empresa. Sin embargo, en el País Vasco se vivía un momento de gran actividad y surgieron muchas iniciativas de emprendimiento. Tres personas vieron una oportunidad en el sector del aire comprimido. No tenían experiencia empresarial. Les unía la amistad y las ganas de crear una empresa. Uno de ellos trabajaba en la venta de herramientas neumáticas y creía que había descubierto una oportunidad de negocio en la distribución de ese tipo de productos, que estaban conociendo un gran desarrollo desde finales de la Segunda Guerra Mundial. Ese año 67, mientras Servan Schreiber corregía las últimas páginas de su nuevo libro, *El desafío americano*, los tres amigos formaron una sociedad y alquilaron una pequeña bodega en San Sebastián. Uno de ellos dejó su trabajo y se dispuso a afrontar este reto como único empleado.

Centralair[1] comenzó así vendiendo tubos y abrazaderas para la conducción de aire, en base a una tecnología nueva en aquel momento. Cincuenta años después facturaba más de nueve millones de euros anuales, se codeaba con las principales marcas del mercado español, en el que tenía una participación del ocho por ciento, empleaba a unas 60 personas, fabricaba sus propios productos y registraba patentes, proyectaba su introducción en el mercado internacional y, lo que es más importante, había sabido adaptarse a cada situación superando las crisis económicas que se produjeron en esos años gracias al esfuerzo y a la planificación. Hoy forma parte de esas PYMES que sin hacer gran ruido han ido creciendo hasta constituir el tejido industrial en el que se asienta el país.

La razón para situar a Centralair como ejemplo de emprendimiento se debe a que refleja a la perfección el tesón y el esfuerzo de muchos emprendedores que han preferido la incomodidad de emprender e innovar a la comodidad del trabajo estructurado, previsible y cómodo que tenían trabajando para un tercero. Pero lo peor no es eso sino que, probablemente sin saberlo, han elegido un camino duro que les obligará a habituarse a vivir en la incomodidad, a vivir angustiados porque, a partir de ese momento, se van a enfrentar a la incapacidad de gestionar la incertidumbre.[2] Menos mal que estos emprendedores pronto se rodearon de personas ejecutoras para complementar su perfil iniciador. Y, mediante un duro aprendizaje, han sido capaces de hacerse a sí mismos y han tomado buena nota de la necesidad de mejorar permanentemente. Primero intuitivamente y luego aplicando las herramientas de gestión disponibles, han hecho viables sus proyectos, creando riqueza, puestos de trabajo y, sobre todo, futuro.

---

[1] Una vez más, deseo mostrar mi agradecimiento a Centralair (y, más concretamente, a don Jesús Mª Lazcano, presidente), por permitirme publicar por primera vez –en CISS (1998)– parte del contenido de este capítulo, en lo que hace referencia a su empresa.

[2] Como señala Antonio Flores al hablar de la actitud del emprendedor/innovador, en su libro "La actitud innovadora".

3.1.2. Años setenta: de la intuición a la consolidación de Centralair

El primer problema a resolver en esos primeros años fue el desconocimiento real del mercado y de las necesidades de los clientes. Se optó por visitar uno por uno los pabellones industriales de la zona, manteniendo así una relación estrecha y permanente con los clientes para conocer sus necesidades y problemas. La experiencia no pudo ser más positiva y marcó el desarrollo de la empresa, que ha hecho de ese intercambio directo uno de sus puntos fuertes: situar al cliente en el centro de sus decisiones.

Los resultados fueron buenos y comenzó a crecer, al tiempo que se profesionalizaba en todos sus aspectos, empujada esencialmente por el liderazgo y entusiasmo del equipo que se estaba formando. Se hizo necesario trasladarse de la bodega inicial a un nuevo local, mucho más amplio. Se incorporaron empleados y se amplió el capital, hasta constituirse en sociedad anónima.

Esta consolidación abrió nuevas perspectivas, ya que el mercado natural se había quedado pequeño para sus aspiraciones. La siguiente decisión estratégica fue la expansión a todo el País Vasco, abriendo para ello una oficina en Bilbao, pero también otra en Madrid y se nombró un responsable para el resto del país. Paso a paso se estaba asentando una red comercial marcada por el mismo espíritu de atención al cliente y productos de calidad.

3.1.3. El impulso de los ochenta

Asentada la red comercial y buscando paso a paso la implantación en toda España, la empresa vasca creó una oficina técnica para desarrollar los problemas que le planteaban los clientes, siempre buscando una línea de servicio integral. Pero el sector del aire comprimido es eminentemente marquista, por lo que hay que competir con firmas de prestigio. En este sentido se enmarcó el acuerdo alcanzado con una importante empresa sueca, ABM,[3] una de las marcas más prestigiosas a nivel internacional, para comercializar sus productos en España. Según uno de los fundadores de Centralair, *"además de actuar como cabeza de puente de uno de los principales grupos internacionales, nos sirvió para contrastar, aprender mejores prácticas y, como se dice ahora, hacer benchmarking"*.

Parece que el viento soplaba favorable, ya que, además, buscando unas necesarias cotas de independencia, desde hacía algún tiempo se había planteado la posibilidad de disponer de producto propio, para lo que había que innovar. Hasta ese momento, Centralair era sólo un distribuidor industrial. Así, en 1981 comenzó la fabricación de la primera válvula y se registró la primera patente (Modelo Utilidad). También se buscó la mejora en otros aspectos, como la gestión, adquiriendo el primer ordenador. Todas

---

[3] Nombre ficticio, por expresa voluntad de la Dirección de Centralair.

estas decisiones estaban transformando este pequeño negocio de distribución en una empresa de servicios integrales en el campo de la neumática. Un crecimiento natural, producto de la visión del equipo directivo, que trataba de mejorar día a día todos los aspectos y cuidaba los más mínimos detalles para satisfacer a sus clientes. Pero como consecuencia de esa decisión Centralair se estaba viendo inducida a innovar en procesos, en productos y en marketing.

Desgraciadamente, desde el Próximo Oriente se avecinaba otra tormenta. Una más. Y esta vez todo Occidente vio peligrar sus recursos energéticos por la alarmante alza del precio del petróleo. La dependencia del llamado oro negro provocó, a principios de los ochenta, una fuerte inestabilidad y la consiguiente recesión económica. El crecimiento negativo de la actividad industrial, la competencia de los países emergentes y la elevación de la tasa de inflación afectaron negativamente a sectores como el siderúrgico, el naval o la máquina herramienta, básicos para la economía, especialmente la vasca, en los que Centralair basaba una gran parte de su facturación.

Es en momentos de crisis cuando se deben adoptar decisiones firmes. A pesar de mantener un crecimiento sostenido y un buen nivel de expansión, los momentos de incertidumbre que se vivían y el permanente deseo de mejorar propiciaron que por consejo de un colaborador de su agencia de publicidad se decidiese a realizar su primer plan de marketing en los primeros meses de 1982.

Por aquellos años la mentalidad imperante seguía volcada en la producción. "Cuanto más mejor" parecía el lema al que se aferraba buena parte de la industria vasca, convencida de que un buen producto y una alta producción eran garantía suficiente de supervivencia. No lo vio así Centralair que, por experiencia, había comprobado que tan importante como esos factores eran la distribución, la atención al cliente, el marketing o la dirección estratégica. De esta forma se convertía en la primera PYME industrial del País Vasco en acometer un plan de marketing que, posteriormente, se integraría en el plan estratégico[4] de la empresa y al que luego seguirían otros más, como el de ventas, calidad, exportación, etc. En otras palabras, con esta innovación en organización, Centralair completó el ámbito de la innovación señalado por la OCDE, en su denominado Manual de Oslo: estaba innovando en producto, en procesos, en marketing y en organización.

3.1.4. Plan de marketing: una reflexión para tomar decisiones

El plan de marketing se encargó a este autor, y lo puso en práctica la propia dirección. En realidad, como lo explica un directivo, "fue un proceso que nos sirvió para plasmar por escrito lo que ya pensábamos. Supuso poner en orden las ideas, fijar objetivos, estrategias, adquirir compromisos y ponerlos en marcha". La crisis se entendió

---

4 Si desea conocer el citado plan estratégico, vea Sainz de Vicuña (2015), y para leer el plan de marketing realizado por la empresa en estos años, puede recurrir a Sainz de Vicuña (2014a).

como una oportunidad para seguir mejorando, no un freno como se interpretó en otras empresas.

El análisis del entorno reflejó, ya de partida, un aspecto interesante: Cataluña concentraba el 40% del mercado, mientras que Madrid y la zona Norte se repartían equitativamente otro 40%. El 20% restante estaba muy fragmentado. En cuanto a la situación interna de la empresa, el principal problema de fondo detectado, que fue el gran reto del plan de marketing, era la no sintonía entre estructura geográfica de las ventas de Centralair y estructura de mercado. Aunque la dependencia del mercado vasco, del que surgió, era cada vez menor, suponía en 1981 casi el 80% de sus ventas totales. Eso significaba lisa y llanamente que la implantación en Cataluña era escasa, un dato importante por cuanto se trataba del principal mercado de neumática en esos momentos.

Una vez completada la radiografía, el plan de marketing marcó las estrategias a seguir y las acciones que se debían poner en marcha. Así, desde el punto de vista del producto, se completó la gama lanzando, por ejemplo, una nueva marca de cilindros y elementos neumáticos. También se elaboró un nuevo catálogo y se estableció un plan de calidad para la línea de productos propios. Aunque, por su alto valor añadido, el precio no tenga la importancia de otros sectores, se planteó primar la venta de los productos más rentables, adecuar la tarifa de descuentos o encarecer el pedido mínimo, aumentando al mismo tiempo el precio de ciertos productos. Para corregir el desequilibrio detectado se reestructuraron las zonas, abriendo una delegación en Barcelona, y se potenciaron otros puntos. También se mejoró la formación del personal comercial. En cuanto a la comunicación, destacaba el "Noticias Centralair" (del que se editaban 15.000 ejemplares cuatrimestralmente) y se dio importancia al apoyo de la acción comercial con la elaboración de un catálogo técnico, mayor presencia en ferias, etc.

3.2. Emprendimiento e innovación en Centralair: creación de Centork como nuevo negocio y posterior creación de la empresa Centork Valve Control, S.L.

El resultado de esa apuesta por mejorar, implicándose en una permanente innovación, adaptándose a los cambios y adelantándose a los posibles nuevos escenarios, es que la facturación de la empresa prácticamente se duplicó entre 1981 y 1985. Lo mismo ocurrió entre 1985 y 1990, cuando se superaron los cinco millones de euros. En medio de una crisis mundial, los resultados económicos podían calificarse como muy buenos.

Casi veinte años después, factura más de siete millones de euros anuales, está codeándose con las principales marcas del mercado español en el que tiene una participación del ocho por ciento, emplea a 53 personas en España y 10 en Portugal, fabrica sus propios productos y registra patentes, se ha introducido en el mercado internacional y, lo que es más importante, ha sabido adaptarse a cada situación superando las crisis económicas que se han producido en estos años gracias al esfuerzo y a la planificación.

Hoy forma parte de esas pequeñas empresas que, sin hacer gran ruido, han ido evolucionando hasta constituir el tejido industrial en el que se asienta el país.

Las sucesivas crisis de los ochenta y principios de los noventa fortalecieron Centralair a pesar de dificultades añadidas, como la siguiente: en esos años, la empresa sueca ABM fue absorbida por la alemana MR, que poseía su propia filial en Cataluña, lo que suponía perder la comercialización de una de sus principales gamas de producto en una zona en la que se concentraba el mayor potencial de ventas de toda España. La empresa vasca se encontró así de nuevo frente a una difícil situación, ya que, además, el impacto de la crisis afectó a un mercado que apenas se había recuperado de las dificultades de los años anteriores. Pero Centralair había aprendido otra lección: dependía en exceso de ABM, por lo que debía invertir en I+D+i para contar con producto propio. Estaba dispuesta a innovar tecnológicamente, para profundizar en la innovación en producto, y a nuevas patentes.

Esto llevó a la creación de una unidad de negocio o división, llamada Centork, que pasó a concentrar todos los productos propios que Centralair estaba desarrollando orientados a la actuación y control de válvulas industriales. Esta división acabaría escindiéndose de Centralair en 2002, dando lugar a otra pequeña empresa (Centork Valve Control, S.L.) cuyo futuro se basa en la innovación de producto y la internacionalización de su actividad, manteniendo la orientación al cliente heredada de Centralair. Ello hacía que, en 2006, además de la empresa Centralair, que facturaba 7 millones de euros con una exportación del 5%, estaba Centork, que en pocos años había llegado a los 4 millones, de los que el 77% se destinaban a mercados exteriores. Centork dispone de un potente departamento de I+D que pretende asegurar su futuro en tiempos tan difíciles e inciertos como los que se avecinaban. Todo el trabajo realizado hasta ahora ha permitido, por ejemplo, que Centralair fuera la primera empresa del sector en obtener el ISO 90001 y el ISO 90002 o en registrar su primera patente (sistema PTCS) a nivel mundial.

3.3. Plan internacional de Centork Valve Control, S.L.

Y ahora, ¿qué? Mientras muchas empresas se plantean cómo mantener su mercado con la competencia que supone la llegada de productos provenientes tanto del resto de la Unión Europea como de Asia, Centork ha dado la vuelta a ese planteamiento. No se trata de qué hacer con lo que nos viene, sino cómo aprovechar las oportunidades que brindan los nuevos mercados y penetrar en esos y otros mercados exteriores. En palabras del director general de la empresa: *"Hay que buscar nuevas oportunidades. El mercado ya no es el País Vasco ni España. Hay que salir a buscarlo en todos los rincones"*. En su opinión, trabajar con productos de nicho supone buscarlos en todo el mundo y en todos los mercados. Por ejemplo, el de la alimentación, que se ha reglamentado mucho y en el que se observan insatisfacciones ocultas.

Además, esta apuesta ya firme por la internacionalización se va a intensificar gracias al establecimiento, en 2012, de una alianza estratégica con el líder mundial. Ello ha sido posible, entre otras cosas, gracias a la obtención de nuevas patentes y de la buena respuesta de esos productos en el mercado. Pero, en opinión del Director General, *"el gran reto del siglo XXI –como sucede con otras empresas– es la innovación, la internacionalización y la gestión del conocimiento (recurso más importante que los que, hasta ahora, han sido objeto de nuestras preocupaciones)"*.

En cualquier caso, en apenas dos décadas, en un entorno en el que muchas empresas han desaparecido al no poder afrontar sus retos, los emprendedores de Centralair y Centork han conseguido superar las crisis y asentar sus creaciones, profesionalizando su gestión y planificando sus estrategias. ¿Qué diferencia a estos emprendedores de otros que han quedado en el camino? Sin duda una "brújula" que les ha permitido retomar el rumbo después de cada borrasca. Primero por intuición y luego mediante las herramientas necesarias para establecer las estrategias: el plan estratégico y el plan de marketing. Pero esencialmente por su propia visión de esos conceptos y el convencimiento de su utilidad y eficacia. Y la convicción del equipo de Dirección de esta PYME de que *"el éxito es una cuestión de perseverar cuando los demás ya han renunciado"*. Para avanzar en la internacionalización de la empresa, la Dirección de Centork tomó la decisión de elaborar el siguiente plan internacional.

3.3.1. Plan internacional de Centork 2010

Este plan internacional de Centork[5] se culminó a principios de 2010. Dada su extensión, a continuación presentamos unas pinceladas.

3.3.1.1. Análisis de la situación interna

Desde su fundación, Centork se dedica a suministrar a sus clientes las mejores soluciones en actuación de válvulas. Es un especialista en actuación de válvulas industriales, basando su actividad en el diseño, ensamblaje, prueba y expedición de actuadores con las tres tecnologías principales: neumática, eléctrica e hidráulica. También comercializa con su marca algunos modelos fabricados por otros y que complementan su gama. Realiza el ensamblaje y las pruebas, aprovisionándose de las piezas individuales a través de una amplia red de proveedores: fundición, mecanizado, tarjetas electrónicas, elementos eléctricos, etc. Desde Lezo (Gipuzkoa) cubre tanto el mercado nacional como el internacional, exportando un 72% de su producción.

La venta de los equipos de actuación se realiza a dos tipos de clientes: fabricantes y distribuidores de válvulas, así como a usuarios finales (plantas industriales de proceso que utilizan válvulas actuadas). Dispone de una red internacional de oficinas y

---

[5] El autor quiere expresar su agradecimiento al Director General de Centork Valve Control S.L., Paco Lazcano, que no sólo le brindó la oportunidad de participar en su elaboración sino que, además, ha permitido su publicación en este libro.

distribuidores que apoyan localmente a sus clientes. Desde Europa hasta Asia, Oriente Medio, África, América y Oceanía, Centork da servicio a sus clientes desde el primer contacto hasta la puesta en marcha y el mantenimiento de los equipos (cuadro 3.1) .

CUADRO 3.1.
SÍNTESIS DE LA DEFINICIÓN DEL NEGOCIO

2009							
LÍNEAS DE PRODUCTO	% s/ ventas	SEGMENTOS DE CLIENTES	% s/ ventas	ÁMBITO GEOGRÁFICO	% s/ ventas	CANALES	COMPETI-DORES
Actuadores Eléctricos serie 400	43,70%	Water	30%	España	27%	Fabricante valvulería y Distribuidor	Rotork
Actuadores Eléctricos serie 480	24,40%	Power & Industry	39%	Europa	48%		Auma
Actuadores Eléctricos serie 460	1,50%	Oil & Gas	23%	Asia y Oceanía	11%	Usuario Final	Limitorque
Actuadores Hidráulicos multivuelta serie 4H1 y CKH	15,90%	Marino	9%	Oriente Medio y África	7%		EIM
Posicionadores	6,90%			NAFTA	0%		Bernard
Actuadores neumáticos (serie 1600)	2,40%			América Latina	7%		
Reductores (gears)	1,40%			Otros	0%		
SPARES	2,00%						
REPAR-SAT-Servicio	1,80%						

La empresa se caracteriza por su pequeño tamaño con respecto a sus competidores, su "juventud" respecto a sus competidores (sólo lleva 12 años en el sector), tener un producto novedoso y por su escasa implantación internacional. Tiene una importante visión exportadora, estando presente en múltiples países: Francia (con medios propios), Italia (con medios propios y a través de un distribuidor), China (a través de un distribuidor), Corea (a través de un distribuidor), Sudáfrica (a través de un distribuidor), México (a través de un distribuidor) y Chile (varios distribuidores). Para la acción comercial en los distintos mercados, se designa a un responsable de su gestión. Esta acción comercial se basa en visitas comerciales tanto para la venta directa como para la búsqueda de distribuidores en los países que se identifiquen como de gran potencial. En los países en los que se dispone de distribuidor se realizan visitas para motivar la venta de los productos de Centork. Se establece de forma periódica un plan de visitas por mercado y comercial.

Los cuadros 3.2 a 3.7 y los gráficos 3.1 a 3.6 muestran la **evolución de las ventas y de los márgenes** por líneas de producto, por tipos de clientes-segmentos y por zonas geográficas.

CUADRO 3.2.
FACTURACIÓN POR LÍNEAS DE PRODUCTOS (EN €)

FAM.PRODUCTOS	2008
Act.Hidráulicos	1.879.158,3
Act.Eléctricos 400	1.274.330,3
Act.Eléctricos 480	704.523,7
Posicionadores	261.732,0
Act.Neumáticos	42.596,9
Reductores y varios	170.538,1

GRÁFICO 3.1.
FACTURACIÓN POR LÍNEAS DE PRODUCTOS (EN %)

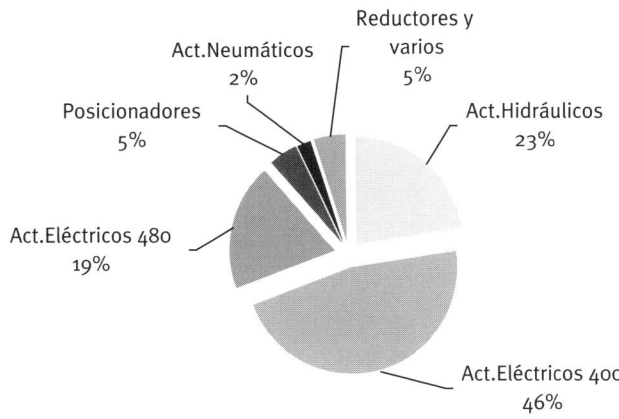

- La gran caída del sector de buques LNG se refleja en las ventas de la familia de Actuadores Hidráulicos. Esta caída será aún mayor en 2010.

- Prosigue el deterioro de las ventas deposicionadores debido a la evolución técnica en la cual Centork no se ha introducido.

- Aumento importante en actuadores eléctricos que permite compensar la caída en Actuadores Hidráulicos.

CUADRO 3.3.
MÁRGENES POR LÍNEAS DE PRODUCTOS (EN €)

FAM.PRODUCTOS	2008
Act.Hidráulicos	1.377.806,1
Act.Eléctricos 400	528.901,3
Act.Eléctricos 480	360.120,1
Posicionadores	136.931,8
Act.Neumáticos	18.857,0
Reductores y varios	102.546,5

GRÁFICO 3.2.
MÁRGENES POR LÍNEAS DE PRODUCTOS (EN %)

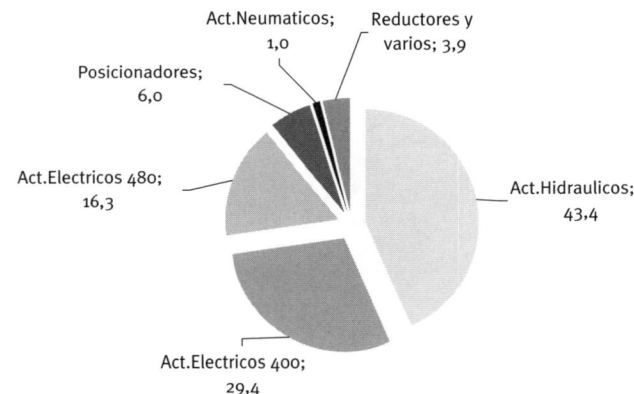

- El margen absoluto en Actuadores Hidráulicos desciende en proporción al descenso de sus ventas.
- Los actuadores eléctricos serie 400 han aumentado su margen impulsados por el trabajo realizado en compas y el aumento de volúmenes.

Cuadro 3.4.
FACTURACIÓN POR TIPOS DE CLIENTES / SEGMENTOS (EN €)

FAM.PRODUCTOS	2008
Valvul. Oil&Gas	473.109,7
Valvul. WATER	1.454.181,5
Valvul. POWER	1.816.172,3
Valvul. MARINE	429.934,4
Usuario Oil&Gas	68.608,8
Usuario WATER	42.596,9
Usuario POWER	48.275,9

Gráfico 3.3.
FACTURACIÓN POR TIPOS DE CLIENTES/SEGMENTOS (EN %)

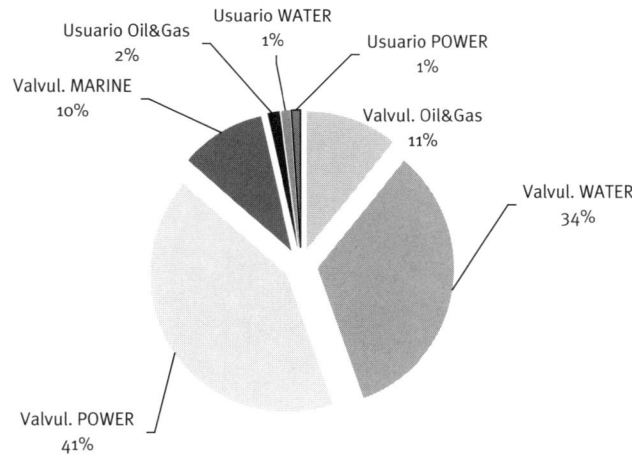

- Debido a las características de la ventas de Centork, con grandes proyectos, relativos a su tamaño, estas cifras pueden verse alteradas, como ocurre en este caso con Válvulas POWER.
- Destaca que las ventas a usuarios finales son muy pequeñas comparadas con los fabricantes y distribuidores de válvulas.
- Además la distribución geográfica / mercados puede incluir sensiblemente en esta clasificación.

CUADRO 3.5.
MÁRGENES DE VENTAS POR TIPOS DE CLIENTE / SEGMENTO (EN €)

FAM.PRODUCTOS	2008
Valvul. Oil&Gas	290.934,0
Valvul. WATER	661.266,0
Valvul. POWER	1.313.246,8
Valvul. MARINE	178.381,8
Usuario Oil&Gas	37.987,2
Usuario WATER	18.857,0
Usuario POWER	24.490,0

GRÁFICO 3.4.
MÁRGENES DE VENTAS POR TIPOS DE CLIENTE / SEGMENTO (EN %)

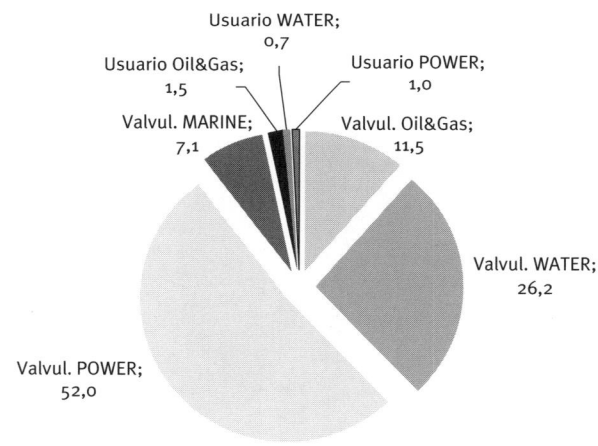

- Se mantienen las proporciones entre los diferentes tipos de clientes / segmentos.
- Excepto en marina, donde tres operaciones puntuales hacen que se dispare el margen de este segmento.

CUADRO 3.6.
FACTURACIÓN POR ZONAS GEOGRÁFICAS (EN €)

FAM.PRODUCTOS	2008
España	1.087.927,7
Europa	1.869.859,5
NAFTA	118.032,5
América Latina	137.864,1
Oriente Medio & África	245.971,0
Asia & Oceanía	893.519,6

GRÁFICO 3.5.
FACTURACIÓN POR ZONAS GEOGRÁFICAS (EN %)

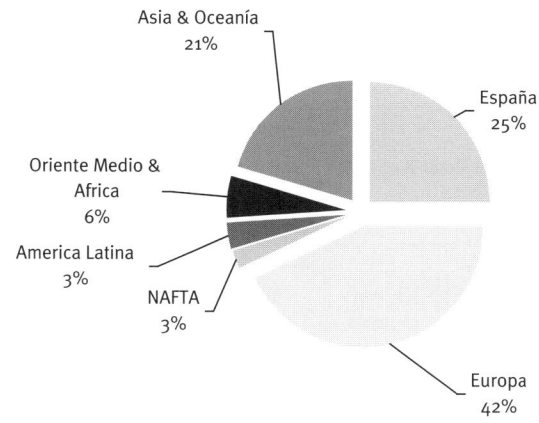

- Destaca el mantenimiento en un entorno difícil de las ventas en España y Europa.
- El trabajo de introducción realizado en Oriente Medio empieza a dar sus frutos, mientras que en Asia la evolución es normal, siguiendo la evolución del mercado. Se debería mejorar más en estos mercados.

CUADRO 3.7.
MÁRGENES POR ZONAS GEOGRÁFICAS (EN €)

FAM.PRODUCTOS	2008
España	601.079,2
Europa	1.343.792,2
NAFTA	62.931,7
América Latina	82.208,8
Oriente Medio & África	41.191,3
Asia & Oceanía	496.709,4

GRÁFICO 3.6.
MÁRGENES POR ZONAS GEOGRÁFICAS (EN %)

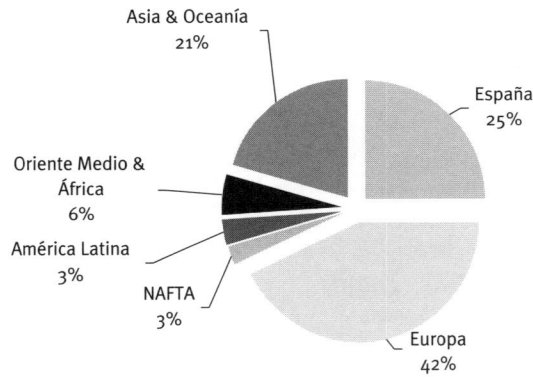

- Los márgenes aumentan en América Latina y, especialmente, en Oriente Medio, manteniéndose constantes en Europa y aumentando algo en España.
- En España gracias al trabajo comercial muy cercano al cliente.
- Oriente Medio y América Latina se caracterizan por ser mercados menos competitivos / eficientes que otros mercados mas desarrollados.

A modo de síntesis del análisis de la situación interna, destacamos las siguientes conclusiones:

- Descenso importante de la facturación, debido a la crisis, que ha propiciado una bajada de los márgenes, en términos absolutos: los posicionadores y actuadores hidráulicos son los que más han acusado la caída. *Oil & gas* es el segmento de mercado en el que las ventas han disminuido más.

- El 75% de las ventas se limitaron a Europa, aunque Oriente Medio y África han ido ganado peso en la facturación de la empresa. No obstante, la mayor parte de su facturación está concentrada en unos pocos países. Gran parte de la facturación se realiza directamente o a través de una red internacional de distribuidores. El 95% de la facturación se realiza a través de la venta a fabricantes de valvulería y distribuidores. El 17% de los clientes suponen más de un 80% de la facturación.

- Hay posibilidades de mejora en organización y distribución de funciones, así como en la definición de una estrategia a largo plazo. Más concretamente, la empresa necesita: impulsar una visión a muy largo plazo, desarrollar el liderazgo y la toma de decisiones, desarrollar políticas de RRHH, aumentar la coordinación entre áreas y una mejor definición de las funciones y propiciar una mejor gestión del conocimiento y formación de las personas.

3.3.1.2. Análisis de la situación externa

a) Caracterización del mercado:

- Tamaño total del mercado: 2.200 millones de dólares.

- Mercado con crecimientos superiores al sector de valvulería y al de bienes de equipo, en el que se inscribe. El porcentaje de válvulas que se automatizan es cada vez mayor. Esta tendencia se viene manteniendo en los últimos veinte años.

- El crecimiento medio en los últimos diez años ha sido del 12%. En cambio, en el último año ha descendido un 20%.

- Mercado muy ligado a la inversión en grandes equipamientos, tanto pública (*utilities*) como privada (*utilities* y *oil&gas*). Muy influido por la concentración de las grandes empresas de *utilities* (petróleo, aguas, electricidad) y por la mayor o menor propiedad pública en estas empresas.

- Sector conservador con barreras de entrada técnicas (homologaciones) y resistencia al cambio. Se caracteriza por existir pocos competidores a nivel mundial. Además dos de ellos (Rotork y Auma) destacan por su mucho mayor tamaño respecto a los demás.

b) Análisis de los mercados geográficos por líneas de productos:

- Como tendencias generales, se pueden resaltar las siguientes:

  – Globalización cada vez mayor del mercado de estos equipos.

  – Gran peso de China e India, que son el centro del mercado en Asia, concentrando a los fabricantes locales en sus propios mercados.

  – Presencia cada vez mayor de fabricantes chinos, indios y coreanos, que están introduciéndose con fuerza en este mercado.

  – Empuje de América Latina, sin llegar al nivel de Asia.

  – Crisis financiera que afecta sobre todo a Europa y NAFTA. Ralentización y retraso de las inversiones.

- Europa:

  – Mercado estable con competencia estable. Centork tiene una posición fuerte en España y menor en Europa.

  – Actuadores neumáticos y posicionadores con competencia deslocalizada cada vez más importante.

  – Actuadores eléctricos e hidráulicos especiales más protegidos por tecnología y barreras de entrada.

- NAFTA:

  – Actuadores neumáticos y posicionadores con competencia deslocalizada cada vez más importante.

  – Actuadores eléctricos e hidráulicos especiales más protegidos por tecnología y barreras de entrada.

  – Barreras técnicas especificas en USA y Canadá. Grandes fabricantes con presencia local. Cambio EUR/USD muy alto.

  – Posición de Centork muy débil en todos los productos.

- América Latina:

  – Actuadores neumáticos y posicionadores con competencia deslocalizada cada vez más importante. Necesidad de socios locales.

c) Análisis de los clientes. Existen dos tipos de clientes claramente identificados:

- Fabricantes de válvulas y distribuidores de válvulas:

  – Grandes diferencias en tamaño y mercados entre ellos.

- Diferencias técnicas importantes entre las válvulas, según mercado (petróleo, agua, vapor, química…).

- El componente técnico de la venta varía mucho, sobre todo según sector y, en menor medida, en función del tamaño del cliente.

- En sectores de menor valor añadido (agua y *utilities*), las principales motivaciones de compra son el precio y el servicio, mientras que en los de mayor valor (*Oil&gas*, marine y, en menor medida, en *power*) se valora la calidad y el servicio. El gráfico 9.15 profundiza en el análisis de los segmentos de clientes.

- Usuarios finales:

  - Empresas, en general, de gran tamaño debido a la consolidación del sector, excepto en aguas.

  - Diferencias técnicas importantes según sector y/o mercado.

  - Principales motivaciones de compra: calidad y servicio.

d) Unidad de toma de decisión (UTD):

- A los dos tipos de clientes anteriores se suma la ingeniería-constructora, que construye la planta de proceso y que especifica los equipos y compra las válvulas.

- A su vez estas ingenierías también están especializadas por sectores.

- La toma de decisión y la especificación (*vendor list*) se realiza a nivel de usuario final y de la ingeniería constructora, especialmente en los grandes proyectos.

- En el mercado de proyectos menores o de válvulas más pequeñas o de menor responsabilidad, la decisión se traslada más al suministrador de la válvula, que puede elegir entre sus proveedores.

- Por todo ello, la UTD va desde el fabricante o distribuidor de válvulas al usuario final pasando por la ingeniería constructora.

e) La competencia:

- Para el volumen de mercado existente hay pocos competidores.

- En los últimos años está aumentando la concentración a través de la compras de empresas: tanto Rotork como Auma en estos últimos años han adquirido empresas del sector para propiciar su crecimiento.

- Como ya se ha citado, existen competidores asiáticos, principalmente fabricantes chinos e indios. Hacen unos actuadores especiales (cuarto de vuelta) que no se han desarrollado en Europa. Son líderes en este producto.

Las principales conclusiones del análisis externo fueron las siguientes:

- Agua: se esperan importantes inversiones, sobre todo en África, Asia, América y Europa. Tendrán especial importancia las zonas en las que el agua es un recurso escaso.

- *Power generation*: se espera un incremento de la demanda energética a nivel mundial, principalmente en los países no OCDE. Se prevén inversiones coincidentes con la recuperación económica.

- Industria: en "acero": tendencia alcista de la producción y se prevén inversiones en China. En "química": sector con crecimientos importantes, si bien ha sufrido con la crisis y el aumento de los costes.

- *Oil & gas*: se espera crecimiento en el consumo de gas, tras el descenso de 2008 y 2009. Hay numerosos proyectos de plantas y buques gaseros.

- Marino: tras años de crecimiento, la construcción naval ha bajado en los últimos años.

- Gran importancia de los prescriptores en la toma de decisión, salvo en el *Oil & gas* donde el usuario es el que mayor peso tiene. Las valvulerías (vía por la que Centork entra en el mercado) únicamente tienen importancia relativa alta en *water*. En otros sectores, hay casos específicos de alta tecnología en los que los valvuleros pueden tener mayor peso que en lo que se refleja en términos generales.

- Dependiendo del sector, los aspectos más valorados son: la imagen de marca (*Power & industry*, *Oil & gas*, Marino y *water*); el precio (*Water* y *Power & industry*); y la calidad de producto (*Oil & gas* y Marino). Centork dispone de ventaja competitiva clara en precio en los segmentos de *Power & Industry*, *Oil & Gas* y Marino (cuadro 3.8).

CUADRO 3.8.
ANÁLISIS DE LOS SEGMENTOS E IDENTIFICACIÓN DE VENTAJAS Y DESVENTAJAS COMPETITIVAS

| SEGMENTOS | Importancia relativa de cada segmento (%) | | | ESCALA DE VALORES | | Centork | | PRINCIPAL COMPETIDOR | | CENTORK FRENTE AL PRINCIPAL COMPETIDOR | |
	Importancia relativa en el mercado	Rotork 2009	Importancia relativa Centork (en su historial)	Valor	%	PUNTOS FUERTES	PUNTOS DÉBILES	PUNTOS FUERTES	PUNTOS DÉBILES	VC	DC
Water	26%	19%	40%	Calidad de producto	10%	x	x	xx			x
				Calidad de servicio	5%		x		x		
				Imagen de marca	30%		x	x			x
				Precio(real o perci.)	55%	xx		x		x	
				Total	**100%**						
Power + Industry	31%	29%	28%	Calidad de producto	12,5%	x	x	xx			x
				Calidad de servicio	12,5%		x	x	x		x
				Imagen de marca	40%		x	x			x
				Precio(real o perci.)	35%	x			x	x	
				Total	**100%**						
Oil & Gas	37%	46%	27%	Calidad de producto	35%	x	x	xx			x
				Calidad de servicio	15%		x	x			x
				Imagen de marca	40%		x	x			x
				Precio(real o perci.)	10%	x			x	x	
				Total	**100%**						
Marino y varios	6%	6%	5%	Calidad de producto	30%	xx		x		x	
				Calidad de servicio	20%		x	x			x
				Imagen de marca	40%		x	x	x		x
				Precio(real o perci.)	10%	x			x	x	
				Total	**100%**						

3.3.1.3. Diagnóstico de la situación

En un plan internacional, el diagnóstico de la situación lo haremos mediante el *sempiterno* DAFO, pero apoyado en una herramienta que nos permita diagnosticar nuestra adecuación a los diferentes mercados analizados: la matriz de adecuación.

DAFO

En el cuadro 3.9 mostramos las oportunidades y amenazas detectadas en el análisis externo y en el cuadro 3.10 las fortalezas y debilidades de Centork en 2010.

CUADRO 3.9.
OPORTUNIDADES Y AMENAZAS

OPORTUNIDADES	AMENAZAS

• Inversiones en infraestructuras para aguas:
  – Países sin infraestructuras suficientes.
  – Renovación de infraestructuras obsoletas.
• Incremento importante de la demanda de energía en países no OCDE.
• Inversiones importantes en generación de energía en países industrializados (ej., EEUU).
• Inversiones en plantas de licuefacción y buques gaseros.
• Crecimiento económico en países emergentes y BRIC.
• Importancia creciente de la concienciación con el medio ambiente-> búsqueda de energías y procesos limpios que llevan a la renovación de las infraestructuras (sobre todo en Europa y América del Norte).
• Nuclear.
• Aumento de la automatización de procesos.
• Previsible incremento de la importancia del mantenimiento.
• Tendencia hacia un aumento de la demanda de mantenimiento.
	• Enfriamiento generalizado del mercado (reducción de la inversión) en respuesta a la crisis.
	• Incremento de la influencia de la figura del prescriptor.
	• Concentración de la decisión de compra.
	• Ralentización de la inversión naval.
	• Concentración de la oferta. Concentración de los competidores.
	• Grado de concentración de proveedores alto.
	• Costes de la materia prima.
	• Entrada de fabricantes asiáticos (y la producción en Asia de los competidores habituales).
	• Evolución técnica (por mayor inversión en I+D) de los principales competidores.

CUADRO 3.10.
FORTALEZAS Y DEBILIDADES DE CENTORK

PUNTOS FUERTES	PUNTOS DÉBILES
• Dispone de un buen producto y un catálogo amplio. • Customización y modularidad del producto. • Rentabilidad actual. • Implicación del equipo humano de Centork. • Experiencia en el sector. • Calidad del producto.	• Inferior imagen de seguridad y confianza que los competidores directos (en los casos de Centork e Ingeniería). • Nivel de servicio por debajo de lo necesario. • Reducción de márgenes. • Estructura comercial no óptima. • Crecimiento inferior al del mercado. • Gran dependencia del segmento marino. • No estamos en masa crítica. • Reducido poder de negociación con clientes y proveedores. • Reducida capacidad de captación de nuevos clientes.

Adecuación de Centork a los diferentes mercados

El cuadro 3.11 y el gráfico 3.7 muestran los resultados del diagnóstico de adecuación de Centork a los diferentes mercados analizados.

CUADRO 3.11.

ANÁLISIS DE LA ADECUACIÓN DE CENTORK A LOS DIFERENTES MERCADOS ANALIZADOS

Aportación de las distintas líneas de producto a la facturación total de Centork

	España y Portugal	Europa (Directa)	Europa (Distribución)	USA	Asia	Oriente Medio	América del Sur
	1	2	3	4	5	6	7
Importancia relativa de cada línea — 100%	24	22	21	2	22	6	3

La mayoría de las zonas geográficas tiene un atractivo medio para Centork.

Europa y Portugal son las zonas con mayor atractivo, seguidas con un atractivo intermedio por Oriente Medio, Europa (distribución) y Europa (directa).

Con una posición peor encontramos USA, Asia y América del Sur.

ATRACTIVO DEL MERCADO

CRITERIOS para evaluar el ATRACTIVO DEL MERCADO DE CENTORK	% Pond.	España y Portugal	Europa (Directa)	Europa (Distribución)	USA	Asia	Oriente Medio	América del Sur
		4	3	5	7	3	1	6
Tamaño del mercado (nivel de desarrollo)	30	1	3	2	2	3	2	1
Evolución previsible del mercado	13,5	1	1	2	2	3	3	2
Importancia de los competidores	-33	2	3	3	3	3	2	2
Similitud, proximidad socio-econ.-cultural	23,5	3	2	2	2	1	1	2
Total	100	48	52	35	12	55	58	38

ADECUACIÓN AL MERCADO

CRITERIOS para evaluar la ADECUACIÓN AL MERCADO DE CENTORK	% Pond.	España y Portugal	Europa (Directa)	Europa (Distribución)	USA	Asia	Oriente Medio	América del Sur
		4	3	5	7	3	1	6
Aprovechamiento de nuestras fortalezas	40	2	2	1	1	1	2	2
Viabilidad económico-financiera	60	3	2	2	1	2	2	1
Total	100	260	200	220	160	160	200	140

GRÁFICO 3.7.

ADECUACIÓN DE CENTORK A LOS DIFERENTES MERCADOS ANALIZADOS

Leyenda:

4	España y Portugal
2	Europa (Directa)
5	Europa (Distribución)
7	USA
3	Asia
1	Oriente Medio
6	América del Sur

La mayoría de las zonas geográficas tiene un atractivo medio para Centork.

Oriente Medio, Asia y Europa son las zonas con mayor atractivo, seguidas con un atractivo intermedio por America Latina y España.

Con una posición peor encontramos USA, Asia y América del Sur.

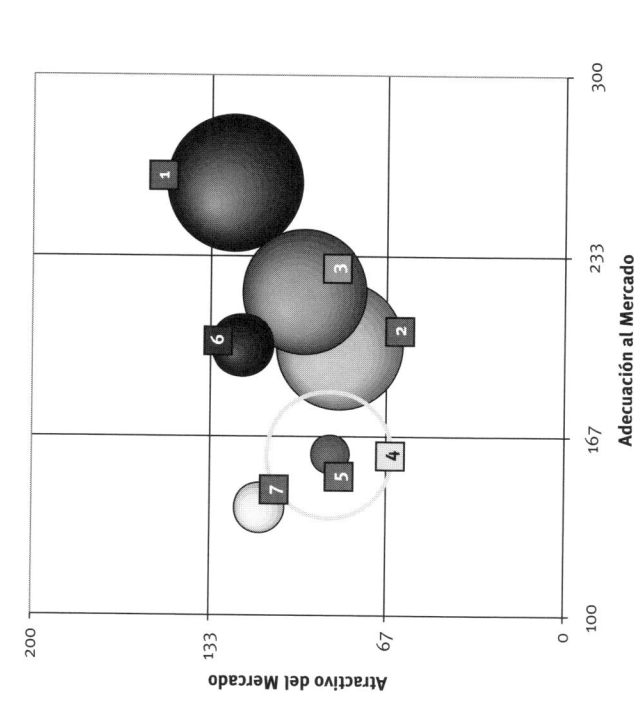

3.3.1.4. Objetivos estratégicos

Los objetivos que se fijó la dirección fueron coherentes con su **visión** para Centork en el largo plazo: ser una empresa global, innovadora, referente mundial en actuación de válvulas, que desea crecer rentablemente.

CUADRO 3.12.
OBJETIVOS ESTRATÉGICOS DE CENTORK

OBJETIVOS CUALITATIVOS	OBJETIVOS CUANTITATIVOS
• Mejorar la notoriedad y la imagen de marca. • Impulsar un cambio en la organización para que permita a la empresa orientarse hacia nuevos mercados y hacia la internacionalización. • Aumentar la presencia de la empresa en los mercados exteriores, incrementando las ventas al exterior. • Establecer alianzas para lograr la masa crítica. • Fidelizar más a nuestros clientes.	• Alcanzar los ingresos esperados para 2014 con un crecimiento medio anual del 27%. • Crecimiento impulsado por las zonas prioritarias de crecimiento (Asia, Oriente Medio y Sudamérica) con crecimientos superiores al 30% anual. • Rentabilidad bruta del 48-50%.

El cuadro 3.12 expone los principales **objetivos cualitativos** que, derivados de su visión, se compromete la dirección a que sean guía para la toma de decisiones estratégicas en el horizonte de este plan, pero que no se plantea cuantificarlos porque "*le costaría más la salsa que los caracoles*" y, por supuesto, los **objetivos cuantitativos** para el horizonte del plan. Estos objetivos se ven complementados con los que ofrece el gráfico 3.8, por zonas geográficas.

GRÁFICO 3.8.
OBJETIVOS ESTRATÉGICOS DE CENTORK POR ZONAS GEOGRÁFICAS

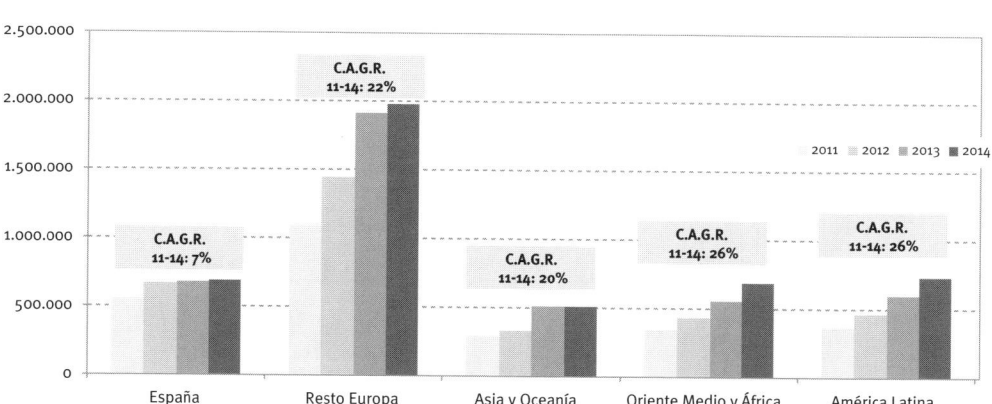

- Oriente Medio y América Latina van a ser los mercados con mayor crecimiento según los objetivos.
- Europa continuará creciendo y seguirá siendo el principal mercado.
- España va a ser el mercado con menor crecimiento

La tasa de crecimiento medio anual está calculada en base al C.A.G.R. (Compound Annual Growth Rate): $((Vf / Vi)^{(1/n)}-1$

3.3.1.5. Estrategia de internacionalización

Una vez decididos los objetivos (**qué** queremos conseguir), debemos explicitar la estrategia que nos planteamos seguir (**cómo** lo vamos a conseguir): mercados a abordar (elección y priorización de los mismos), segmentos elegidos y la forma de posicionarnos en ellos, cómo vamos a abordarlos (elección de la forma de entrada y el posible apoyo en aliados), la estrategia comercial y de marketing, cómo nos vamos a organizar, etc.

En las páginas siguientes se detallan las decisiones estratégicas adoptadas por Centork en el ámbito de este plan internacional, explicitando previamente (cuadro 3.13) el perfil futuro de negocio que se obtendría tras la culminación de este plan.

Perfil futuro del negocio

CUADRO 3.13.
PERFIL FUTURO DEL NEGOCIO DE CENTORK

CENTORK LÍNEAS DE ACTIVIDAD/PRODUCTO	CRECIMIENTO ANUAL (%)	% Fact	SEGMENTOS CLIENTELA	ÁMBITO GEOGRÁFICO	CANALES	TECNOLOGÍA	COMPETIDORES
Actuadores Hidraulicos Ventas: 1,88 Mill. €	+20%	43,4%	OEM (Fab. Valv.) Ingenierías Usuario final Distribuidores	España Europa USA(+Canada) O.Medio & Africa Asia Sudamérica	Delegaciones Distribuidores	Act.Elect. (MECÁNICA) ELCTROHIdraulica (Electrónica) Servicio (Ingeniería)	Rotork Auma Bernard EMG-DREHMO Limitorque EIM
Actuadores Eléctricos Serie 400 Ventas: 1,27 Mill. €	+20%	23,4%	OEM (Fab. Valv.) Ingenierías Usuario final Distribuidores	España Europa USA(+Canada) O.Medio & Africa Asia Sudamérica	Delegaciones Distribuidores	Act.Elect. (MECÁNICA) Centronik + BUS (Electrónica) Retrofitting (Ingeniería) Servicio (Ingeniería)	Rotork Auma Bernard EMG-DREHMO Limitorque EIM
Actuadores Eléctricos Serie 480 Ventas: 0,71 Mill. €	+20%	16,3%	OEM (Fab. Valv.) Ingenierías Usuario final Distribuidores	España Europa USA(+Canada) O.Medio & Africa Asia Sudamérica	Delegaciones Distribuidores	Act.Elect. (MECÁNICA) Centronik + BUS (Electrónica) Retrofitting (Ingeniería) Servicio (Ingeniería)	Rotork Auma Bernard EMG-DREHMO Limitorque Koreanos (Noah, HKC, Itork...)
Posicionadores Ventas: 261.000 €	+20%	6,0%	OEM (Fab. Valv.) Ingenierías Usuario final Distribuidores	España Europa USA(+Canada) O.Medio & Africa Asia Sudamérica	Delegaciones Distribuidores	Tecnología Digital Tecnología Piezo Electrica Integracion con AN	Eckardt Siemens SMC PMV Otros
Actuadores Neumáticos Ventas: 43.000 €	+20%	1,1%	OEM (Fab. Valv.) Ingenierías Usuario final Distribuidores	España Europa USA(+Canada) O.Medio & Africa Asia Sudamérica	Delegaciones Distribuidores	Mecánica Soluciones (Ingeniería) Integración (Ingen.)	BETTIS BIFFI ROTORK (Fluidsystem) SMC PROCONTROL SERVOVALVE
Reductores y Varios Ventas: 171.000 €	+20%	3,9%	OEM (Fab. Valv.) Ingenierías Usuario final Distribuidores	España Europa USA(+Canada) O.Medio & Africa Asia Sudamérica	Delegaciones Distribuidores	Mecánica Servicio (Ingeniería) Integración (Ingen.)	AUMA OPPERMAN MAST ROTORK ASIA

Estrategia de crecimiento

Un crecimiento vía desarrollo interno, de forma exclusiva, no es viable para Centork, por lo que se hace necesario plantearse opciones de crecimiento externo y, por tanto, la búsqueda de aliados operativos y/o estratégicos, con el fin de poder alcanzar los objetivos estratégicos que se ha marcado.

Se barajan como las opciones más adecuadas para Centork las siguientes (cuadro 3.14):

- Aliarse con empresas que dispongan de gamas complementarias.

- Aliarse con empresas que le aporten proyección internacional (y masa crítica) rápida y eficientemente.

- Aliarse con algún gran grupo internacional (fabricante), para completar su portafolio de productos.

Será necesario, por tanto, que el plan de acciones incluya la necesidad de identificar aliados potenciales para Centork en cualquiera de estas tres posibles vías (el cuadro 3.15 muestra un ejemplo al respecto) con el fin de iniciar el acercamiento a dichas empresas con el fin de abrir un posible proceso de alianza con ellas.

CUADRO 3.14.
ESTRATEGIA DE CRECIMIENTO DE CENTORK, POR MERCADOS

Mercados Geográficos	Estrategia de crecimiento	
	Desarrollo Interno	Desarrollo Externo
Europa	Mayor labor comercial-visitas Marketing (valve world, fluidex,...) Mailings a distribuidores de válvulas Concentración en FR/DE/IT, Países del Este + Rusia	Alianza con Valmek- → Quizás CK Italia
Asia y Oceanía	Proactivos en Sureste asiático, incluido Australia	Mayor desarrollo en China ····→ Quizás CK China.
Oriente Medio y África	Concentrar en: RSA, EAU, Kuwait e Irán	Ver evolución de FCT-Dubai para alianza operativa comercial y servicios
América Latina	Mayor labor comercial-visitas Conseguir distribuidores en PE, CO, EC(?) y ARG(?) Consolidar Brasil y ver México.	Ver evolución de Interfluid para alianza operativa comercial y servicios

CUADRO 3.15.

EJEMPLO DEL PERFIL DEL ALIADO QUE DEFINIÓ CENTORK, EN CADA CASO

Alianza para XX

Contar con socios locales (a nivel comercial y/o industrial)					
Perfil del aliado	**Motivación**	**Beneficios a <u>obtener</u>**	**Beneficios a <u>ofrecer</u>**	**Tipología de alianza**	**Hitos, plazos y responsables**
• Agentes comerciales localizados allá donde queramos comercializar nuestros productos que cumplan las siguientes características (...). • Proveedores de (...) localizados en (...) que cumplan las siguientes características (...).	• Comercial: facilitarnos la entrada en nuevos mercados. • Costes: ser más competitivos (precio y plazo).	• Obtener conocimiento sobre el mercado. • Aprovechar sus contactos y know-how. • Posibilidad de aprovechar su estructura (en caso de existir).	• Ingresos adicionales.	• Estratégica.	• Preparación propuesta de valor. • Reuniones al más alto nivel. • Protocolo acuerdo intenciones. • (...)

Estrategia competitiva: Focalización

La estrategia competitiva que seguirá Centork en los mercados estratégicos a los que se va a dirigir va a ser una estrategia de focalización, es decir especializándose[6] en nichos de mercado muy reducidos donde la adaptación de Centork a las necesidades de los clientes es superior a la competencia.

A pesar de que la focalización en un nicho de mercado pueda parecer una limitación, en realidad el mercado potencial es amplio, ya que se abordará con un alcance casi mundial.

Estrategia cartera

A partir de los resultados obtenidos en el gráfico 3.9, se decidió que Oriente Medio y Europa fueran los mercados estratégico-prioritarios de Centork en el horizonte de este plan, mientras que Asia sería un mercado sólo estratégico. De forma que América del Sur e incluso España no constituirían mercados estratégicos para Centork en los tres próximos años.

---

[6] La especialización va a hacer necesario invertir en certificaciones (por ej.: GHOST en Rusia), aspecto que se tuvo en cuenta en el plan.

Gráfico 3.9.

ESTRATEGIA DE CARTERA: IDENTIFICACIÓN DE MERCADOS ESTRATÉGICOS PARA CENTORK

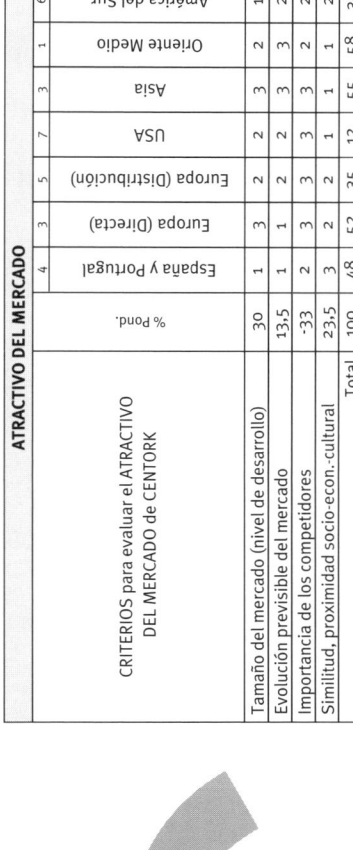

ATRACTIVO DEL MERCADO

CRITERIOS para evaluar el ATRACTIVO DEL MERCADO de CENTORK	% Pond.	España y Portugal (4)	Europa (Directa) (3)	Europa (Distribución) (5)	USA (7)	Asia (3)	Oriente Medio (1)	América del Sur (6)
Tamaño del mercado (nivel de desarrollo)	30	1	3	2	2	3	2	1
Evolución previsible del mercado	13,5	1	1	2	2	3	3	2
Importancia de los competidores	33	2	3	3	3	3	2	2
Similitud, proximidad socio-econ.-cultural	23,5	3	2	3	1	1	1	2
Total	100	48	52	35	12	55	58	38

ADECUACIÓN AL MERCADO

CRITERIOS para evaluar la ADECUACIÓN AL MERCADO de CENTORK	% Pond.	España y Portugal (4)	Europa (Directa) (3)	Europa (Distribución) (5)	USA (7)	Asia (3)	Oriente Medio (1)	América del Sur (6)
Aprovechamiento de nuestras fortalezas	40	2	2	1	1	1	2	2
Viabilidad económico-financiera	60	3	2	1	2	2	2	1
Total	100	260	200	220	160	160	200	140

Mercados estratégicos

Mercado estratégico prioritario	O. Medio Europa
Mercado estratégico	Asia
Resto de mercados	América del Sur España

Estrategias funcionales

Estrategia comercial

El que Centork siga esta estrategia comercial (gráficos 3.10 y 3.11) implica que:

A nivel de producto:

- El producto debe contar con una gran modularidad que permita plazos de entrega muy cortos, cubriendo una extensa gama de producto.

- Ser capaces de adaptar-*customizar* el producto a las necesidades de los fabricantes de válvulas y las ingenierías.

- Buscar la competitividad en precio del producto en los mercados especialmente sensibles a este factor, apoyándonos en la modularidad y una correcta gestión de compras y producción.

A nivel comercial:

- Es necesaria una mayor cercanía al fabricante de válvulas y a sus problemáticas técnico-comerciales.

- Es preciso buscar una colaboración estrecha con las ingenierías para el desarrollo de soluciones técnicas innovadoras y más cercanas a Centork.

- Aprovechar la oportunidad que supone que los servicios asociados a los fabricantes y distribuidores de válvulas (puesta en marcha, formación, servicio ante usuario final, *retrofitting*…) estén adquiriendo una mayor importancia.

GRÁFICO 3.10.
ESTRATEGIA COMERCIAL

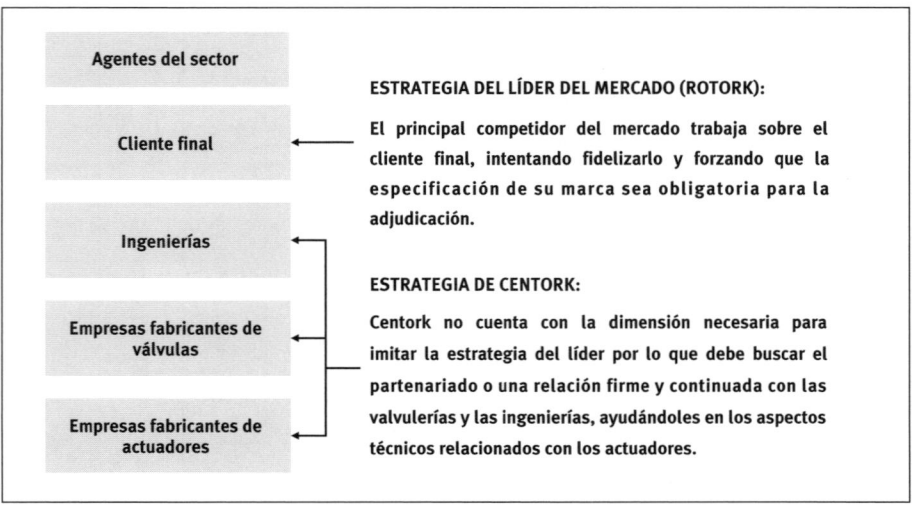

GRÁFICO 3.11. (A)

ESTRATEGIA COMERCIAL: CAPTACIÓN DE CLIENTES

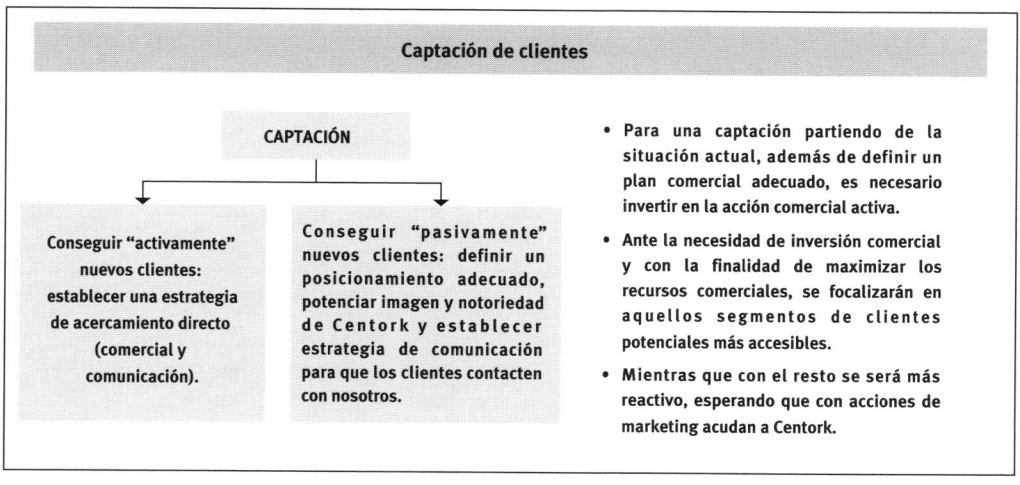

Captación de clientes

Definir el tipo de cliente a captar

Identificar el público objetivo

Identificar las necesidades y características

Testear la posibilidad de Centork para dar respuesta a sus necesidades

Definir un plan comercial de captación

- Actualmente, es prioritario conseguir captar nuevos clientes.
- Para ello, identificar aquellos clientes a captar, conocer cuáles son sus demandas y necesidades.
- Centork tiene que estar capacitado para dar respuesta a esas necesidades para tomar medidas que posibiliten dar la oferta que estos clientes requieren; en caso contrario la elección del público objetivo no ha sido adecuada y habrá que seleccionar otro tipo de clientes a captar.
- Si la oferta de Centork se adecuara, se definirá un plan comercial para la captación que guiará las acciones a emprender.
- Todo ello requiere contar con un equipo humano capacitado y unas áreas funcionales que soporten las actuaciones que deriven de la búsqueda de nuevos clientes.

GRÁFICO 3.11. (B)

ESTRATEGIA COMERCIAL: CAPTACIÓN DE CLIENTES

Captación de clientes

CAPTACIÓN

Conseguir "activamente" nuevos clientes: establecer una estrategia de acercamiento directo (comercial y comunicación).

Conseguir "pasivamente" nuevos clientes: definir un posicionamiento adecuado, potenciar imagen y notoriedad de Centork y establecer estrategia de comunicación para que los clientes contacten con nosotros.

- Para una captación partiendo de la situación actual, además de definir un plan comercial adecuado, es necesario invertir en la acción comercial activa.
- Ante la necesidad de inversión comercial y con la finalidad de maximizar los recursos comerciales, se focalizarán en aquellos segmentos de clientes potenciales más accesibles.
- Mientras que con el resto se será más reactivo, esperando que con acciones de marketing acudan a Centork.

Estrategia de marketing

Centork se propuso seguir la estrategia de marketing que muestran los gráficos 3.12 (A) y (B).

GRÁFICO 3.12. (A)
ESTRATEGIA DE MARKETING: POSICIONAMIENTO

La estrategia de posicionamiento supone definir cómo queremos que nos perciba el mercado, es decir, con qué atributos de imagen queremos que relacione nuestros productos y servicios.

La posición competitiva de Centork con respecto al principal competidor es peor, pero tampoco es mejor que la del resto de los competidores del mercado.

Por ello, y visto que no podemos superar a la competencia en aspectos tangibles como las condiciones económicas o la calidad del producto, deberemos optar por diferenciarnos vía activos intangibles (imagen, servicio, relaciones...).

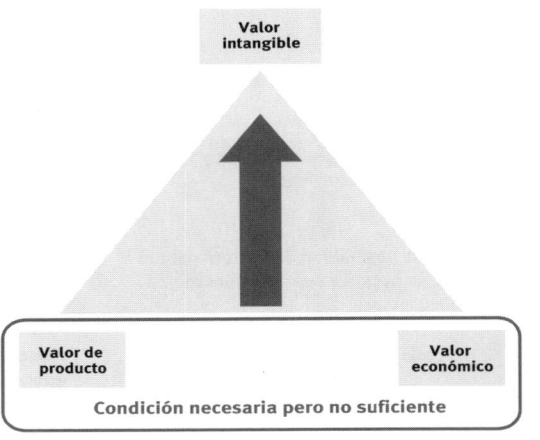

GRÁFICO 3.12. (B)
ESTRATEGIA DE MARKETING: POSICIONAMIENTO

Dadas las fortalezas y debilidades analizadas anteriormente, se ha considerado que la mejor opción estratégica es buscar posicionar a Centork en el atributo de calidad de servicio al cliente, tal y como viene reflejado a continuación:

MEJORAR LA CALIDAD DE SERVICIO:

- Tecnificando más el proceso de venta (+ apoyo Ofic. Técnica).

- Dotándonos de los medios informáticos precisos para conseguir una mejor coordinación y control del proceso de servicio al cliente.

- Mejorando sustancialmente la logística (gestión de stocks y distribución física).

En definitiva, se busca conseguir que Centork pase de ser considerado un "suministrador especializado" a ser "una empresa técnica de valor añadido".

Las estrategias comercial y de posicionamiento elegidas tienen una implicación directa en la estrategia de productos que debe seguir la compañía en los nuevos mercados. De hecho, el conseguir reforzar el posicionamiento de Centork como proveedor preferente de los fabricantes y distribuidores de válvulas y las ingenierías, implica la necesidad de mejorar el producto a tres niveles:

- Se debe contar con un producto modular.

- Se debe poder responder a las necesidades de los clientes, ofreciendo un producto *customizado*.

- Para poder competir en los nuevos mercados, es necesario contar con las homologaciones técnicas especificas.

Estrategia de recursos humanos

Un tema de importancia clave para hacer posible la puesta en marcha de las estrategias definidas en el plan de internacionalización es seguir una adecuada estrategia de motivación del personal.

La motivación de los recursos humanos implica la búsqueda de su satisfacción, por lo que se considera que la política de recursos humanos de Centork tiene que avanzar más decididamente en distintos campos que se ha demostrado tienen un efecto positivo en la satisfacción de los profesionales, como son:

- La dirección por objetivos.

- La retribución variable.

- La valoración del desempeño.

- Los planes de carrera.

- Las promociones internas.

- La formación del personal.

Aunque ya se ha trabajado en esta dirección, Centork considera que se debe profundizar y sistematizar más. Para lo cual se han definido dos objetivos principales con los que iniciar el camino:

- La descripción, definición y evaluación del puesto de trabajo como herramientas clave para conseguir una organización ágil y sin complejos.

- La evaluación del desempeño, a todos los niveles, para obtener personas polivalentes que puedan adaptarse a un entorno cambiante y de clara vocación internacional.

3.3.1.6. Decisiones operativas

Como en todo plan, a las decisiones estratégicas (objetivos y estrategias) deben seguirle las decisiones operativas, esto es, los planes de acción (qué vamos a hacer, quién va a ser el responsable de su cumplimiento, para qué fecha debe estar terminado), su priorización y el presupuesto y cuenta de explotación previsional. A continuación presentamos los planes de acción y su priorización.

Planes de acción

Los cuadros 3.16 (A) a 3.16 (G) presentan los planes de acción definidos por la dirección de Centork.

CUADRO 3.16. (A)
PLANES DE ACCIÓN

	ESTRATEGIA	ACCIÓN	RESPONSABLE	PLAZO
1	Generar canales de venta en los mercados objetivo	Buscar distribuidores en Chile.		
		Buscar distribuidores en Perú.		
		Buscar distribuidores en Colombia.		
		Buscar distribuidores en Brasil.		
		Buscar distribuidores en Arabia Saudí.		
		Buscar distribuidores en Emiratos Árabes.		
2	Consolidar las relaciones con los distribuidores actuales en Asia y Oceanía	Establecer un calendario de contactos para profundizar la relación con los distribuidores coreanos y chinos. Ferias conjuntas. Invitación a España.		
3	Completar la red de distribución en Asia y Oceanía	Buscar distribuidores en Vietnam.		
		Buscar distribuidores en Singapur.		
		Buscar distribuidores en Indonesia.		
		Buscar distribuidores en Australia.		

CUADRO 3.16. (B)
PLANES DE ACCIÓN

	ESTRATEGIA	ACCIÓN	RESPONSABLE	PLAZO
4	Ampliar el conocimiento actual sobre los mercados potenciales.	Investigar si existen estudios de mercado sobre el mercado Indio disponibles.		
		Pedir presupuesto a organizaciones como el ICEX, Cámara de Comercio o similares por un estudio ad-hoc para Centork.		
		Identificar las principales ferias sectoriales que tienen lugar en India.		
		Identificar contactos entre las Ingenierías de Aguas, las Ingenierías Power y las Ingenierías de Oil&Gas.		
		Intentar ampliar el conocimiento sobre los mercados de Aguas, Power y Oil&Gas.		
		Efectuar visitas a los contactos para identificar posibles oportunidades comerciales en cada sector.		
		Organizar un plan de trabajo para explotar los nichos de mercado de mayor interés para Centork.		

CUADRO 3.16. (C)
PLANES DE ACCIÓN

ESTRATEGIA	ACCIÓN	RESPONSABLE	PLAZO
5 Establecer alianzas estratégicas y/o operativas con empresas	Identificar empresas con una gama de productos complementaria a la de Centork.		
	Identificar empresas de sectores afines con una presencia importante en alguno de los mercados objetivo.		
	Abrir un dossier de cada uno de los potenciales aliados e investigarles vía fuentes secundarias (estrategia seguida, productos, mercados, aliados...).		
	Seleccionar los aliados potenciales e identificar la persona de contacto en cada empresa.		
	Establecer los objetivos que persigue Centork en cada negociación.		
	Iniciar el contacto con la empresa.		
	Si el primer contacto fuera positivo, iniciar el proceso de alianza.		

CUADRO 3.16. (D)
PLANES DE ACCIÓN

ESTRATEGIA	ACCIÓN	RESPONSABLE	PLAZO
6 Adaptar el producto a las nuevas necesidades	Poner en marcha un proyecto interno de innovación en la modularización de los productos.		
	Identificar claramente, por cada país objetivo, las certificaciones y homologaciones necesarias.		
	Identificar la empresa que pueda asesorar a Centork en cómo cumplir con las certificaciones y homologaciones seleccionadas.		
	Visitar a los principales clientes de ingeniería y fabricantes y diagnosticar sus necesidades en cuanto a productos.		
	Elaborar un listado de especificaciones a cumplir por los productos que se quieran customizar para cada cliente.		

CUADRO 3.16. (E)
PLANES DE ACCIÓN

ESTRATEGIA	ACCIÓN	RESPONSABLE	PLAZO
7 Aportar una mayor calidad de servicio a los clientes, diferencial con respecto de la competencia	Determinar el alcance idóneo del SAT, con la idea de ampliar los servicios prestados en la actualidad.		
	Contrastar con un cliente fiel e histórico de Centork la aportación de valor al cliente que supondrían las mejoras propuestas.		
	Definir un nuevo SAT ampliado e identificar los cambios necesarios a realizar en la empresa para dar el servicio.		
	Diseñar un plan de mejora de la calidad de servicio.		
	Puesta en marcha del plan de mejora de la calidad de servicio.		

CUADRO 3.16. (F)
PLANES DE ACCIÓN

ESTRATEGIA	ACCIÓN	RESPONSABLE	PLAZO
8 Mejorar la imagen de la compañía en los mercados potenciales	Rediseñar la página web: incorporación de nuevos idiomas. Nueva imagen y contenidos.		
	Establecer un presupuesto para la comunicación de Centork en el horizonte del plan.		
	Investigar los canales y medios de comunicación idóneos en cada mercado objetivo.		
	Buscar formas de potenciar la comunicación below-the-line, de menor coste para la empresa.		
	Definir un nuevo plan de comunicación mas ambicioso: más ferias a las que acudir, anuncios en revistas sectoriales, newsletter ...		

CUADRO 3.16. (G)
PLANES DE ACCIÓN

ESTRATEGIA		ACCIÓN	RESPONSABLE	PLAZO
9	Mejorar la motivación de los empleados	Formar técnicamente al Dpto. de Ventas.		
		Incorporar personal a los Dptos. Técnico y de I+D.		
		Invertir en mejoras específicas en el CRM-ERP.		
		Seleccionar una consultora de RR.HH. que apoye a Centork en la puesta en marcha de un sistema de evaluación del desempeño.		
		Capacitar al personal de RR.HH. en técnicas de evaluación del desempeño.		

Priorización de los planes de acción

En el gráfico 3.17 se presenta la priorización de los nueve planes de acción expuestos como cuadros 3.16 (A) a 3.16 (G).

GRÁFICO 3.17.
PRIORIZACIÓN DE LOS PLANES DE ACCIÓN

Una vez definidos los planes de acción, y con la finalidad de distribuir los recursos y el tiempo disponible en aquellas acciones cuya importancia y urgencia sean altas, se ha procedido a priorizarlas por medio de la siguiente matriz:

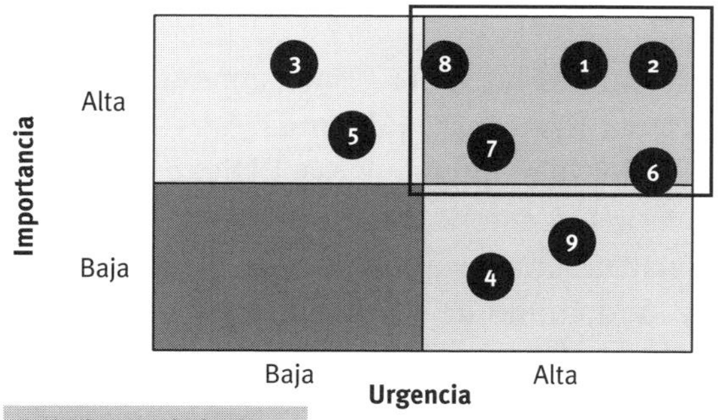

DECISIÓN ESTRATÉGICA:

1. Generar canales de venta en los mercados objetivo.
2. Consolidar las relaciones con los distribuidores actuales en Asia y Oceanía.
3. Completar la red de distribución en Asia y Oceanía.
4. Ampliar el conocimiento actual sobre los mercados potenciales.
5. Establecer alianzas estratégicas y/o operativas con empresas.
6. Adaptar el producto a las nuevas necesidades.
7. Aportar una mayor calidad de servicio a los clientes, diferencial con respecto de la competencia.
8. Mejorar la imagen de la compañía en los mercados potenciales.
9. Mejorar la motivación de los empleados.

Acciones prioritarias a poner en marcha en los próximos meses: 1, 2, 6, 7 y 8

Importancia — Alta / Baja
Urgencia — Baja / Alta

3.4. Resumen

"El éxito es una cuestión de perseverar cuando los demás ya han renunciado". Este lema ha sido y es un *leit motiv* básico en Jesús Mª Lazcano y en su sucesor, Paco Lazcano. El primero ha sido un buen ejemplo de emprendedor (creación de Centralair y, posteriormente, de Centork) e innovador (en producto, en procesos, en marketing y en organización), y su hijo es un buen ejemplo de innovador (en innovación tecnológica y en producto, sobre todo) y emprendedor de la internacionalización de Centork. Ni a uno ni a otro les han sobrepasado las adversidades. Uno y otro viven intensamente la incomodidad de gestionar la incertidumbre y están dando ejemplo de cómo sin apenas capital y sin partir de una saga familiar de emprendedores se puede ser capaz de construir PYMES capaces de codearse con los mejores en sus respectivos mercados.

El caso muestra cómo se puede ser un emprendedor de PYMES. También nos muestra que un camino de éxito es la innovación permanente, aunque en absoluto se trate de una innovación radical. Pero es la innovación más accesible a pequeños y medianos emprendedores, porque requiere menos inversión y supone asumir menores riesgos que con la innovación radical, que es privilegio de unos pocos: *Apple*, *Microsoft* o *Facebook*, por citar algunos casos recientes que están en la mente de todos.

Esta innovación incremental, desarrollada por estos emprendedores en estas empresas, no ha tenido límites, ya que su alcance ha sido el máximo definido en el Manual de Oslo: innovación de producto, innovación de proceso, innovación de marketing, innovación de organización e innovación tecnológica. Aunque haya pivotado más sobre la innovación de producto y, por supuesto, nunca hayan sido casos referentes en innovación en ninguna escuela de negocios.

Otra aportación que nos hace este caso es que se puede emprender desde dentro de una PYME (emprendimiento interno). La creación de Centork como nuevo negocio para Centralair surge en el seno de esta empresa y, posteriormente, se convierte en un *spin off* que tiene su propio desarrollo y evolución. Y, finalmente, este caso ilustra que una PYME puede internacionalizarse si continúa innovando y emprendiendo, como nos han demostrado los Lazcano.

En definitiva, hemos podido ver tres grandes hitos: 1) Cómo unos desconocidos en el mundo empresarial de los años sesenta son capaces de emprender: ejemplo de emprendimiento. 2) Cómo Centralair innova y su emprendedor (y PDG) crea Centork: ejemplo de emprendimiento interno. 3) Cómo Centork sigue innovando –porque ya forma parte de su ADN– y se internacionaliza, gracias al empuje de un emprendedor del siglo XXI: ingeniero con su MBA y su dominio de varios idiomas para moverse por el mundo.

Capítulo 4

Internacionalización de Ternua Group

4.1. Emprendimiento en IASA

4.2. Innovación en IASA: focalización en el caso Astore

4.3. Ternua contribuye a la innovación e internacionalización de IASA

4.4. Impulso a la internacionalización a partir de la constitución de Ternua Group

4.5. Resumen

"Quien tiene algo por qué vivir es capaz de soportar cualquier cómo".

Nietzsche

4.1. Emprendimiento en IASA

Cada empresa tiene su historia, a veces incluso gloriosa, jalonada de hitos pioneros y singulares, que merece la pena recordar para entender mejor el proceso de emprendimiento.

La singladura de IASA[1] la inician los hermanos Uribesalgo a principios de los ochenta del siglo pasado con la distribución de cartuchos de caza y de tiro al plato, con marcas de escopeta y rifles,[2] así como de los prismáticos Zeiss, que los promotores distribuían en su área más próxima.

- **Apertura de Arrasate Kirolak (AK):** la citada actividad pasó a realizarse en la tienda Arrasate Kirolak que abren, en noviembre de 1986, en Mondragón

---

[1] Desde finales de 2014, IASA forma parte de Ternua Group que, además, integra a Lorpeland, Lorpen North América y Lorpen México. Agradezco a Jesús Anduaga (consejero delegado) y a Jokin Umérez (director general) la oportunidad que me han dado de publicar este caso.

[2] De las empresas Excopesa y Corsivia.

(Gipuzkoa) pero, conforme iba cayendo el mercado de armas en España, las armerías evolucionaron a ofrecer productos de deporte. De esta forma tan sencilla, estos emprendedores comienzan su relación con el mundo de las marcas deportivas, así como con el mundo de la esponsorizacion, siendo AK pionera en el patrocinio de pruebas y clubes deportivos del Alto Deba (Gipuzkoa).

Como en otros muchos negocios, por aquellos años la oferta de marcas y artículos deportivos era muy inferior a la conocida hoy en día y el servicio era lamentable, por lo que en palabras de Edu Uribesalgo, miembro fundador de la familia[3] promotora de este nuevo negocio, *"nos ilusionamos en crear una marca deportiva y en dar solución en calidad de producto y servicio a las necesidades que demandaban los clubes deportivos y que no estaban bien satisfechas"*.

- **Creación de la marca Astore[4] en 1988.** Se empezó diseñando una colección corta[5] y con prendas más bien básicas y, gracias a la relación que mantenían con los proveedores de AK, comenzaron a producir las prendas en Cataluña[6] y a comercializarlas en algunas tiendas de deportes del País Vasco, en algunas de las armerías con las que se relacionaban y en AK.

- **Creación de IASA:** En 1989, Edu y Esteban Uribesalgo, junto a Jesús Anduaga,[7] apoyados por el resto de la familia, crearon la empresa Import Arrasate (IASA), iniciando la actividad en 1990, con un equipo de 15 personas. Ni cortos ni perezosos, invirtieron en la última tecnología textil que había en el mercado: extendedoras automáticas y de corte automático, *plotter*, programas de patronaje y marcadas, bordado, *transfer*, serigrafía y máquinas de confección, entre otras. Y empezaron a crear un tejido industrial con múltiples talleres de confección donde se confeccionaran las prendas que querían producir.[8] *"Aunque subcontratamos en Italia el diseño de nuestra primera colección, fuimos conscientes de la necesidad de crear nuestro propio equipo de diseño para dotar a las prendas de Astore*

---

[3] Los citados hermanos Uribesalgo son Esteban, Edu, Iose, Elisabeth, Nerea y Iosu.

[4] La decisión de crear esa marca se debió a la supremacía que, en aquellos años, tenía la moda deportiva italiana en cuanto a diseños y marcas de prendas de *"sportwear"*. La palabra "astore" significa azor en italiano. Algún tiempo después los promotores recibieron una llamada de la revista Berrigara comunicándoles que "astore" estaba mal escrito, porque en euskera debería ser con Z y no con S ya que, sin ellos saberlo, en el País Vasco significa una especie de águila, denominada azor, como en italiano.

[5] Como Astore era una marca nueva, desconocida en el mercado, y sin red comercial, no existía posibilidad de vender cantidades importantes. Y al no ser tan interesante para los fabricantes, su servicio era deficiente.

[6] Teniendo en cuenta que, por aquellos años, China no existía como país productor, el resto de marcas conocidas producían en las mismas empresas catalanas.

[7] Que, para entonces, se había incorporado a AK.

[8] Las muestras de la primera colección las confeccionaron las monjas del convento de Bidaurreta de Oñate. Al ser monjas de clausura, fue necesario un permiso especial del obispo de Gipuzkoa para poder salir del convento y desplazarse (4-5 monjas) diariamente a IASA. Posteriormente, se montó un taller de confección en el convento y estuvieron cosiendo las prendas de Astore durante unos años hasta que, debido a la dureza del trabajo, eran pocas las que se podían dedicar a ello y optaron por el cambio y trabajar para *Zahor*.

de una personalidad propia", señala Esteban Uribesalgo.[9] Por ello, pronto todo el proceso de producción se empezó a realizar en la planta de Mondragón: desde el diseño de sus prendas hasta su envío al cliente, excepto la confección, planchado, etiquetado y embalado.

Su capacidad de producción era superior a sus ventas y gracias a la relación que, a través de AK, mantenían con las marcas deportivas comenzaron a producir para *Eroski, El Corte Inglés, Converse, Le Coq Sportif, y Kappa*, entre otros. Llegaron a fabricar más de 100.000 camisetas del F. C. Barcelona cuando jugaba el famoso "*dream team*" de Cruyff que ganó su primera Copa de Europa en el año 1992.

El desarrollo de las líneas de *sportwear*, tanto masculinas como femeninas, y la implantación de una red comercial a nivel nacional consiguieron que Astore fuera haciéndose un hueco en el mercado deportivo local. El 100% de la producción se realizaba en España y en 1998 contaban con unas 500 personas trabajando para sus firmas. Para ser más competitiva, en 1995 IASA inició la externalización de su producción, acercándose a Portugal a comprar prendas terminadas, principalmente de algodón. Es en el año 2000 cuando inicia la relación con los proveedores asiáticos, primero a través de intermediarios y a partir de 2004 directamente con los fabricantes.

Los fundadores de IASA siempre han tenido muy claro que la calidad es el "*seguro de la continuidad*", por lo que esta frase estaba pintada en grande en la pared del pabellón. No obstante, eran conscientes de que la calidad por sí misma no garantiza la continuidad de las marcas pero también estaban convencidos de que sin calidad no hay presente ni futuro. Y sabían que este atributo te lo garantizan tus compañeros de viaje: proveedores excelentes de tejidos técnicos, fornituras, así como los proveedores del acabado de las prendas. En otras palabras, sabían que la calidad del producto y del servicio que querían ofrecer dependía en gran parte de la selección de sus *partners*. Así, en 1991 llegaron a un acuerdo de licencia con la firma de tejidos impermeables Gore Tex y también iniciaron su relación con la firma *Malden Mills*, propietaria de *Polartec*.[10] Éste fue un hito importante, ya que estas empresas internacionales[11] seleccionan sus clientes y no venden a cualquier marca.

---

[9] Esteban añadía: "*Todos los comienzos son difíciles y el nuestro también lo fue. Ninguna persona de la empresa se fue de vacaciones el primer año. Nuestra jornada laboral era de 9 horas y, durante los primeros años, trabajamos los sábados por la mañana*".

[10] En los años buenos de venta de prendas de tejido *Polartec* llegaron a comprar cerca de 100.000 yardas para la campaña de invierno (90 km de tejido polar). **Astore ha recibido en seis ocasiones, por su diseño, el premio APEX de *Polartec*.**

[11] En una de las visitas a la Feria de ISPO se consiguió la distribución de la marca americana de calcetines *Ridgeview*. Su sede europea estaba en Irlanda y también la mayor fábrica de calcetines de Europa. Pocos años más tarde cerraron la planta de fabricación y orientaron el negocio de forma diferente, finalizando con ello la relación con IASA.

En la campaña 1992-93, IASA consiguió ser suministrador exclusivo de diferentes prendas para la Ertzantza, entre ellas la chaqueta roja de su uniforme, que se fabricó por primera vez con la membrana Gore Tex.

Siendo la logística parte fundamental en el desarrollo de una empresa, en el año 1994 se implantó, en sus instalaciones de Mondragón, un almacén automático robotizado, constituyendo la primera empresa deportiva española en adoptar esta medida. Ello supuso una revolución para IASA y un cambio total en la forma de almacenar, repartir y enviar las prendas al cliente, además de un mayor control de las mismas. Y, por supuesto, supuso una mejora de su imagen al exterior.

- La **construcción de la marca Astore** (*"The Action Sportswear"* inicialmente, y recientemente *"Third Half Spirit"*, tras el rediseño del logo en 2008): para crear una marca de consumo has de invertir en comunicación y, aunque en sus comienzos los clubes del Alto Deba esponsorizados por AK colaboraron en difundir la imagen de Astore, fue en 1992 cuando realmente comenzó su relación con el primer equipo de futbol profesional, la Sociedad Deportiva Eibar. Posteriormente llegarían otros acuerdos que han permitido a IASA ir construyendo la notoriedad e imagen de marca que hoy tiene Astore: Federación Vasca de Futbol[12] (1993), Real Sociedad de Fútbol (1994), Bidasoa (1994-95), C.D. Alavés (1995), Orio (1995-96), Federación Española de Remo (1996-97), Real Sporting de Gijón (1997) y Club Atlético Osasuna (1998). Y al ser la pelota vasca un deporte propio del pueblo vasco, en 1992 llegaron a un acuerdo con Asegarce para vestir a todos los pelotaris profesionales.[13] Con la irrupción de Aspe en el mercado, se continuó equipando a todo el cuadro profesional. En 1995 el equipo ciclista Euskaltel Euskadi[14] se sumó al cuadro de organizaciones equipadas por Astore.

La línea *outdoor* tenía una presencia importante tanto en la gama de Astore como en el mercado y, por supuesto, en las vidas personales de estos emprendedores. Sus amigos Felix y Alberto Iñurrategi ascendieron al Everest en 1992 equipados con Astore.[15]

Otros hitos que jalonan la historia de IASA son: el traspaso de Arrasate Kirolak en 2001; el importante acuerdo de licencia realizado en Corea del Sur (2004-2005), que supuso el desembarco en ese país a través de una gran empresa coreana y

---

[12] Cuando por primera vez propusieron a sus clientes la comercialización de "réplicas" de camisetas para Navidades (aprovechando el partido de diciembre), la pregunta que les hacían era: Pero... ¿esto ya se va a vender? Fue un éxito y se agotó toda la producción.

[13] Astore es partícipe del cambio de imagen del mundo de la pelota. Diseña las primeras camisetas en color, con mayor grado de tecnicidad y funcionalidad.

[14] Este equipo se diferencia del resto de formaciones profesionales en que toda la afición de un pueblo está detrás del equipo.

[15] *"Fue increíble que nuestra marca les llevara hasta esas alturas. Los buzos de pluma con los que llegaron a la cima eran prendas de otra firma, ya que no disponíamos de este producto. El resto de todas las cimas, hasta hoy, las han subido con nuestras prendas. En 1994 lograron hollar la cima del K2 con prendas Vessant. A su vez Juanito Oyarzábal comenzó en 1993 a equiparse con Astore para sus ascensiones al Himalaya"*, comentaba Esteban.

que consiguió que el equipo profesional de fútbol *Chunnam Dragons* fuera equipado con Astore y ganara dos Copas de Corea; Bruesa Gipuzkoa Basket (2005); Tau Baskonia (2006); Bilbao Basket (2007); Hércules de Alicante (2006-2007); SDC San Antonio (2008); Camiseta Centenario Real Sociedad (2009); Federación Catalana de Fútbol (2010); inauguración del nuevo edificio de las oficinas centrales[16] (2008) y la creación de la *joint venture* **DBG**, empresa logística[17] que se ocupa de los productos de IASA y de los otros socios.

La suma de todas estas acciones, junto con el diseño, la calidad del producto,[18] el esmerado servicio de IASA y la colaboración de la red comercial, consiguieron que Astore fuera una marca de referencia en España, presente en más de 700 puntos de venta. Por supuesto, una parte importante de este logro se lo debe a sus clientes:[19] las tiendas de deporte con las que ha conseguido una estrecha relación comercial y que valoran positivamente la imagen de empresa de IASA.

Hoy en día, IASA es la principal empresa vasca dedicada al diseño, fabricación y comercialización de prendas deportivas. Es una realidad empresarial con más de 20 millones de euros de facturación y sus marcas –Astore y Ternua– compiten en el mercado con empresas internacionales de la talla de *Nike, Adidas, Columbia* o *The North Face*.

Gracias al emprendimiento de los socios fundadores, IASA lleva años de profesionalización de su gestión,[20] apostando por herramientas de gestión y fomentado la innovación en todos sus ámbitos. Los proyectos más relevantes que la empresa ha puesto en marcha estos últimos años son:

- Estudio de mercado para conocer las necesidades de la demanda y la posición competitiva de sus marcas (2006).

- Definición del nuevo modelo organizativo para IASA (2005-2006).

- Plan de Comunicación Interna (2006).

- Plan Estratégico 2008-2011.

- Plan Estratégico 2012-1015. Este plan incluye:

  - Definición del modelo de gobernanza para la empresa.[21] Se constituye formalmente el Consejo de Administración de la empresa, así como el Comité de Dirección, estableciendo el modo de funcionamiento y las principales

---

[16] Estas oficinas centrales tienen 4.000 m² para oficinas y *showrooms* para las diferentes marcas.

[17] Este almacén de 3.500 m² está totalmente automatizado, con las últimas tecnologías del sector.

[18] En 2005 se utiliza un artículo bielástico en pantalones (*Active stretch*). Al año siguiente se utiliza el tejido *Active dry* y, en la campaña invierno 2007, el tejido *Active softshell*.

[19] Los clientes finales la han considerado como suya. Recuerda Esteban que los clientes españoles les decían que cuando los vascos entraban en su tienda, se alegraban de que Astore estuviera presente.

[20] Aunque el mayor impulso se da a partir de la incorporación de la familia Lasa al accionariado de la empresa, en 2009.

[21] Muy necesario en empresas familiares como IASA.

funciones de estos órganos. Desde la finalización del Plan Estratégico en 2011 estos órganos funcionan satisfactoriamente.

– Definición en 2011 del plan de *supply chain*: se ha trabajado sobre diferentes proyectos que, integrados, forman el plan integral de la cadena de suministro. En estos proyectos se han identificado importantes oportunidades de mejora con sus respectivas líneas de actuación, habiendo iniciado ya su puesta en marcha.

– Nueva estructura organizativa (2011). Se ha culminado la implantación de la nueva estructura organizativa, lo que ha supuesto una nueva forma de trabajar y el establecimiento de nuevas rutinas de trabajo para todas las personas de la empresa.

Desde finales de 2014, IASA está integrada en Ternua Group que, además, integra a Lorpeland, Lorpen North America y Lorpen México. Aglutina las marcas Astore, Ternua y Lorpen. Y constituye una realidad empresarial de unos 30 millones de euros.

Además, IASA ha fomentado de manera importante la innovación, habiendo introducido nuevos tejidos en sus productos, innovando en sus procesos de fabricación, desarrollando nuevas prendas y ampliando su catálogo de productos, apostando por las nuevas tecnologías, etc.

4.2. Innovación en IASA: focalización en el caso Astore

Aunque en Ternua se han dado importantes pasos en cuanto a innovación (por ejemplo, en colaboración con fabricantes de tejidos como *Polartec* o *GoreTex*),[22] donde IASA ha dado recientemente un empuje mayor a la innovación es en Atore, a partir del concepto *"Technical wear for urban cycling"*. De ahí que nos focalizaremos en este caso. Y, más concretamente, dentro de la línea de *sportwear*, ya que Astore cuenta con dos líneas de actividad:

• **Teamwear:** Esta línea tiene, a su vez, dos actividades. La primera de ellas ofrece colecciones especiales (equipamientos oficiales y réplicas) a equipos profesionales, contando en estos momentos con el patrocinio del equipo ciclista Euskaltel-Euskadi, los equipos de pelota Aspe y Asegarce, la Selección de Euskadi y la Federación Catalana. Al haber patrocinado, además, a equipos como la Real

---

[22] Por ejemplo, después de varias pruebas y prototipos, IASA desarrolla el conjunto *safe sail system* de Ternua pensado, junto con el Centro Tecnológico Azti, para aumentar la seguridad y el confort de los pescadores vascos y que fue homologado por un laboratorio británico para el correcto funcionamiento junto con el chaleco salvavidas de acuerdo a la norma EN 396, referente a chalecos salvavidas y equipos individuales de ayuda a la flotación. Chalecos salvavidas 150N.
Los trajes fueron comercializados con éxito en el año 2001 y el sistema *safe sail system* de IASA fue premiado en la categoría *hardware* en la edición de Ispo Febrero 2002. El desarrollo realizado se aplicó a la pesca profesional aunque también era valido para la pesca de recreo y náutica en general.

Sociedad, Osasuna o el Sporting de Gijón, Astore ha acumulado una importante notoriedad e imagen. Y la segunda actividad es el catálogo de equipaciones, que se ofrece personalizado para clubes amateurs.

- **Sportwear:** Se trata de la línea que diseña y comercializa ropa deportiva. Es la más importante en cuanto a facturación. Ofrece colecciones de hombre, mujer y niño.

Con estas actuaciones, la marca Astore ha conseguido un lugar destacado en el mercado del *sportwear*, compitiendo con empresas internacionales de la talla de *Nike* o *Adidas*. Ya hace un tiempo que IASA detectó que Astore estaba perdiendo competitividad en el mercado, habiendo sufrido una importante caída de su facturación (gráfico 4.1). De facturar, en 2005, más de 13 millones de euros pasó, en 2010, a unas ventas de 10 millones de euros, aunque esta caída se haya visto mitigada por el mantenimiento de la facturación de la línea de equipamientos. Si sólo tenemos en cuenta la línea de *sportwear* (es decir, la destinada al público final), la caída ha sido más drástica, habiendo pasado de 10 millones de euros a tan sólo 5 millones de euros. Este descenso de las ventas ha podido estar propiciado por la disminución del mercado de la moda deportiva, la falta de recursos económicos para invertir en imagen, la polarización en dos marcas deportivas (*Nike* y *Adidas*), la falta de precios de entrada bien trabajados, la falta de innovación en el diseño de la colección y/o la posible falta de acierto en la comunicación realizada.

GRÁFICO 4.1.
EVOLUCIÓN DE LA FACTURACIÓN DE IMPORT ARRASATE

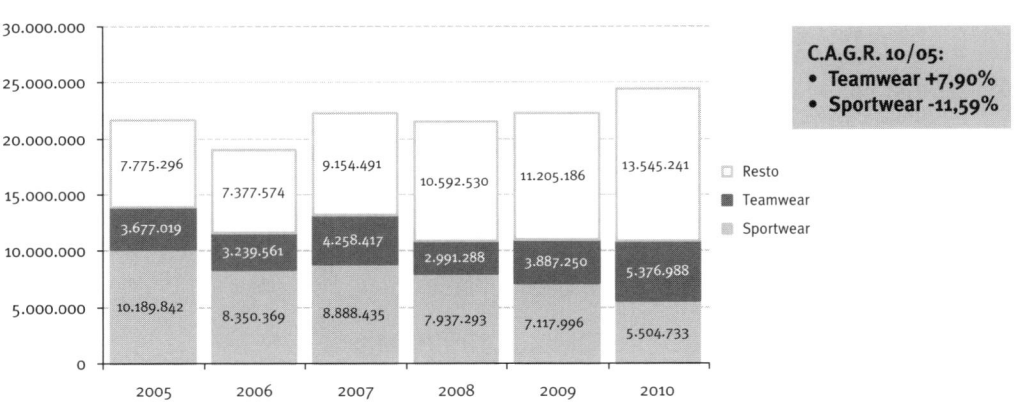

El margen de la línea de *sportwear* ha sufrido un descenso considerable debido, en gran medida, al descenso de las ventas. Más concretamente: el margen industrial ha descendido como consecuencia del aumento de los costes directos de fabricación y por el aumento de los consumos; el margen de contribución ha caído por el aumento de las cargas directas de estructura y por el incremento de los gastos directos y, aunque la mano de obra y otros gastos directos han descendido, no ha sido suficiente para contrarrestar el efecto de la caída de las ventas, por lo que ha tenido su impacto negativo en el EBITDA.

Además de las razones internas que hayan podido llevar a esta pérdida de competitividad, cabe señalar el importante cambio que se ha producido en el entorno competitivo del sector. Antes, las marcas del distribuidor (como *Decathlon*) tenían alrededor de un 20% de cuota de mercado en el sector, mientras que ahora han adquirido una gran importancia (acaparando un 40% del mercado), y las primeras marcas han aumentado su cuota de mercado con una clara hegemonía de *Nike* y *Adidas* (acumulan el 50% del mercado). Esto hace que para el resto de marcas antes quedara un hueco del 40% del mercado, pero éste se está reduciendo a un escaso 10%. En consecuencia, marcas como Astore se han visto atrapadas en la mitad y con un mercado bastante más reducido donde competir.

Al ser los principales competidores de Astore marcas internacionales de primer nivel e importantes agentes de la gran distribución, unos y otros dedican gran parte de sus recursos a la innovación y al I+D, por ser uno de los pilares básicos de su estrategia. Ello hace que todos los años lancen nuevos productos al mercado, creen nuevos tejidos –cada vez más ligeros o con una mayor capacidad de transpiración– y busquen, además, nuevas formas de comercialización y de interactuar con sus clientes y agentes del entorno (redes sociales, páginas web interactivas, venta online, etc.).

Por el contrario IASA, debido a su condición de PYME familiar, no posee tantos recursos (económicos, de acceso a colaboradores externos, etc.) como sus competidores, por lo que la innovación en valor es sumamente importante en este caso, ya que con menores recursos tiene que lograr ser líder en algún nicho de mercado. De este modo, logrará eludir la competencia directa con ellos y a través de la nueva propuesta de valor conseguirá mejorar su posición competitiva, al obtener una posición diferenciada y única en la mente de los consumidores.

El posicionamiento actual de Astore hace que la marca se relacione sobre todo con el País Vasco ("marca vasca para los vascos"), el fútbol y la pelota, y se le sitúa en el segmento medio-alto en cuanto al precio. Además, cuenta con una posición competitiva muy diferente en el País Vasco (donde es una marca reconocida y bien posicionada) que en el resto de España (donde su notoriedad es baja y su posición competitiva no tan buena).

Por ello, entre las decisiones adoptadas en el citado Plan Estratégico 2012-2015, se encontraba la incorporación de un nuevo gerente para Astore que se encargara de "reflotar" la marca, mejorando su competitividad y aumentando su rentabilidad, teniendo que definir para ello una nueva estrategia. De ahí que el caso que se presenta supone para Astore un ejemplo claro de innovación.[23] En concreto, el proyecto implicó

---

[23] Recuérdese la definición de innovación del Manual de Oslo: *"La introducción de un nuevo o significativamente mejorado producto, de un proceso, de un nuevo método de comercialización o de un nuevo método organizativo, en las prácticas internas de la empresa, la organización del lugar de trabajo o las relaciones exteriores".*

la introducción de un nuevo diseño del producto, una nueva forma de relacionarse con sus clientes y grupos de interés, la necesidad de adecuar la estructura organizativa a la nueva propuesta de valor, así como nuevas relaciones exteriores necesarias para la consecución de los objetivos y estrategias definidos. Más concretamente, supuso:

- **Innovación en organización y procesos:** el replanteamiento de la estrategia de Astore y la definición de su nueva propuesta de valor ha supuesto una gran innovación a nivel interno, con una nueva estructura organizativa y nuevos equipos de personas. Ello, además, supuso un cambio importante en los procesos de trabajo, ya que hasta ese momento IASA no estaba preparada para este nuevo modelo de negocio. El esfuerzo en la gestión del cambio ha sido importante por parte de los responsables de IASA y de Astore, trabajando en nuevos métodos organizativos y nuevos procesos comerciales y de marketing, así como en nuevas relaciones exteriores (colaboraciones y alianzas).

- **Innovación en producto:** la definición de esta nueva propuesta de valor implica ofrecer a los clientes nuevos productos dentro del nuevo concepto de negocio que se ha creado, modificando e introduciendo nuevos productos, lanzando nuevos tejidos, redefiniendo la gama de productos ofrecida, etc. Todo ello ha requerido un importante trabajo de equipo, además de la innovación en producto de la que luego hablaremos.

- **Innovación en mercado:** como la finalidad de Astore ha sido revitalizarse y conseguir una nueva imagen de mercado que le permita diferenciarse, ha tenido que establecer una nueva forma de relacionarse con sus clientes y con el mercado. Para ello ha renovado su canal de distribución actual contando con nuevos clientes y agentes, así como poniendo en marcha la apertura de una tienda online de la que carecía hasta ahora.

Esta **innovación conjunta en producto y en mercado** está ya suponiendo un cambio sustancial en la propuesta de valor que Astore ofrece a sus clientes, ya que:

- Supone encontrar un nuevo hueco de mercado, creando una nueva categoría de producto que permita a Astore diferenciarse claramente de la competencia y ser el primero de su categoría.

- Competir en esta nueva categoría supone cambiar el público objetivo al que hasta ahora se ha dirigido la marca. En consecuencia, es necesario cambiar la línea de diseño de la marca para que vaya acorde con la nueva imagen de marca que se quiere transmitir, con lo que ha sido necesario modificar el catálogo de productos.

- Se utilizan nuevos canales de comercialización, porque la nueva categoría supone alejarse del canal más habitual utilizado hasta la fecha (la tienda de deporte tradicional) y buscar canales más adecuados (como, por ejemplo, tiendas más especializadas en lugar de generalistas). Y, por supuesto, se tomó la decisión de la apertura de una tienda online.

En definitiva, este replanteamiento de la estrategia de Astore supone diseñar una nueva propuesta de valor que pretende lograr una mejor adaptación a la demanda y aportar de ese modo un mayor valor a los clientes, aumentando de esta manera la competitividad de la marca. El replanteamiento de la estrategia de la marca Astore y la puesta en marcha de una nueva propuesta de valor ha repercutido en el aumento de la capacidad innovadora de la empresa, ya que ha obligado a las personas de Astore a introducir nuevas rutinas y sistemáticas de trabajo para poner en marcha esta nueva propuesta de valor.

El proceso de reflexión para la toma de decisiones se llevó a cabo de una forma participativa, fomentando la implicación de las personas que formarán el equipo de este negocio e incidiendo en algunas de las actitudes y aspectos necesarios para la innovación, tales como el trabajo en equipo, la creatividad y la generación de ideas, la comunicación bidireccional, etc. Se pretendía que esta iniciativa, además, sirviera de aprendizaje para que las personas de Astore pudieran aplicar el conocimiento adquirido en la gestión diaria y estratégica de la empresa y, de este modo, **se empezara a construir una organización y una cultura para la innovación**.

Desde el punto de vista cualitativo, el salto que se dio es importante, ya que, gracias a esta iniciativa, Astore pretende superar los cambios que se están produciendo en el mercado y que están perjudicando su actual posición competitiva. El diseño de esta nueva propuesta de valor pretende convertir a Astore en el líder del mercado dentro de la nueva categoría de producto que se ha seleccionado, lo que traerá consigo cambios en la gestión y sistemática de trabajo de la marca, cambios a los que deberá adaptarse el equipo de personas y en los que la dirección de la empresa empleará gran parte de sus esfuerzos.

Nueva propuesta de valor para Astore: dentro del mercado del *sportwear*, Astore se focaliza en hombres de entre 25 y 45 años, caracterizados por el siguiente estilo de vida:

- Entienden la práctica del deporte, fundamentalmente, como una forma de sentirse bien consigo mismo, no como una forma de competir con otros.

- Cuando practican deportes buscan prendas que combinen en su justa medida necesidades técnicas y estilo.

- Cuando visten "deportivo" buscan prendas y complementos que reflejen su estilo de vida: urbano y activo (*sport lifestyle*), y que tengan un diseño y corte modernos, pero sobrio, sereno y atemporal.

- Aprecian "el diseño con raíces" frente a la globalización de los gustos (singularidad).

- Demandan calidad (en tejidos y diseño) y están dispuestos a pagar un poco más por ella.

Analizadas las ventajas y desventajas competitivas de Astore frente a su principal competidor, en cada uno de los segmentos estratégicos se definió la estrategia de posicionamiento que a continuación presentaremos. Astore partía de una posición competitiva débil porque, en los últimos años, había tenido una oferta indiferenciada en una categoría (*sportwear*) en claro proceso de banalización con la entrada de marcas de confección tipo Inditex, en las que primaba el volumen y el precio, frente a la calidad y la diferenciación:

- Con los años, el mercado de las prendas deportivas se ha ido segmentando en función de las diferentes disciplinas de competición: natación, esquí, ciclismo, balonmano, etc. Y, con ellas, se han ido creando y afianzando algunas marcas nicho: *Arena* en bañadores, *Rossignol* en equipamiento de esquí, *Spiuk* en culotes, etc.

- Por otro lado, con el tiempo se ha formado un segmento –el más amplio del mercado por facturación– denominado *sportwear*, que responde a aquellas prendas deportivas que son para vestir en la calle. A día de hoy, este segmento está dominado por grandes multinacionales (*Adidas* y *Nike*) y ofrece pocas posibilidades de desarrollo y crecimiento a marcas de pequeño tamaño, como Astore. De ahí que Astore aspire a ser una marca eminentemente urbana que comparte los valores de la ciudad del siglo XXI: sostenible, humana y que entiende el deporte como una forma de sentirse bien con uno mismo; no como una forma de competir con los demás.

Por ello, la Dirección de esta marca estaba obligada a encontrar un nuevo concepto para Astore que le permitiera ser líder en esa nueva categoría de producto. Y para llegar a ser lo que aspira y desarrollar una posición competitiva duradera, Astore necesitaba desarrollar y lanzar un nuevo concepto / categoría de producto en clave innovadora, coherente con su posicionamiento "*sport lifestyle*" y canal de distribución actuales, que le permitiera ser percibida como líder de un nicho de mercado emergente. La singularidad la conseguirá mediante una estrategia de posicionamiento basada en la experiencia de marca, un diseño diferencial y un nuevo concepto. Partiendo de la imagen e identidad actual de Astore, se trabajó la identidad de marca que se deseaba proyectar, a partir de los conceptos que refleja el gráfico 4.2. La **experiencia de marca** buscada debe estar ligada al ADN de Astore, es decir, a su origen:

- Hoy en día, y sobre todo en los mercados de consumo, para ser capaces de transmitir los valores de una marca se debe contar una "*story*", es decir, la identidad no en base a su historia sino en base a un "cuento" o idea que consiga aportar un elemento diferencial que enganche al consumidor.

- Desde sus inicios, Astore ha sabido combinar en su forma de ser y actuar los fundamentos de la arraigada tradición industrial del País Vasco, con la flexibilidad para adaptarse a las necesidades cambiantes del mercado.

- Astore ha demostrado una gran capacidad para evolucionar con los tiempos y crecer. Pero lo ha hecho sin perder sus raíces, manteniéndose fiel a los valores que han formado parte del espíritu de la marca a lo largo de todos estos años: calidad y funcionalidad, por un lado; cuidado diseño y creatividad, por otro. En el ADN de la marca Astore se combinan con naturalidad tradición y modernidad, tecnología y estética.

- A lo largo de su historia, Astore ha fabricado y fabrica prendas para la práctica de deportes de competición como el fútbol, la pelota, etc. Pero el deporte que está más unido a su origen y a su identidad como marca es el de la pelota vasca y sus diferentes variantes (cesta punta, remonte, pala, etc.). Astore comparte con este deporte sus raíces y sus valores: valores deportivos como dinamismo, esfuerzo, compañerismo, competición; y valores estéticos como diseño, elegancia y estilo. Astore era una marca con gran notoriedad en el mercado, pero "hueca", y se acordó que la pelota fuera el elemento que ayudara a construir dicha marca. Porque la pelota es algo de su tierra (de sus orígenes), singular y que recoge los *core values* definidos en la identidad de la marca (cuadro 4.1). La pelota se une al *brand platform* de Astore, a través de tres conceptos: el valor de lo local (calidad), el origen (vasco), y la estética-diseño (gráfico 4.2). En definitiva, la pelota es un deporte vasco que permitirá vehicular la identidad de marca (o *brand platform*) definida.

En resumen, el nuevo concepto (Astore *Urban Life*) y el nuevo posicionamiento de Astore pivotarán sobre la siguiente expresión: "Expertos en prendas y accesorios *sportwear* de diseño para urbanitas activos", con el transporte y el viaje (ya sea por necesidad, por ocio o por placer) como motivaciones clave, y en la que los *drivers* del *target* serán *sports lifestyle, urban* y *active (movement,* concepto *"on the go"*) y los *drivers* del producto los constituirán el diseño, la calidad y el medioambiente.

Se trata de una nueva línea en la que la Dirección cree y por la que va a apostar en las siguientes colecciones, siendo la Primavera Verano-2013 la primera muestra de este cambio de rumbo que puede resumirse, tal y como precisan desde la organización, como *"streetwear de base técnica"*. Compuesta por 60 referencias, esta primera colección *Urban Life* estuvo en las tiendas desde el mes de febrero.

GRÁFICO 4.2.
CONCEPTOS UTILIZADOS PARA DEFINIR LA IDENTIDAD DE LA MARCA ASTORE

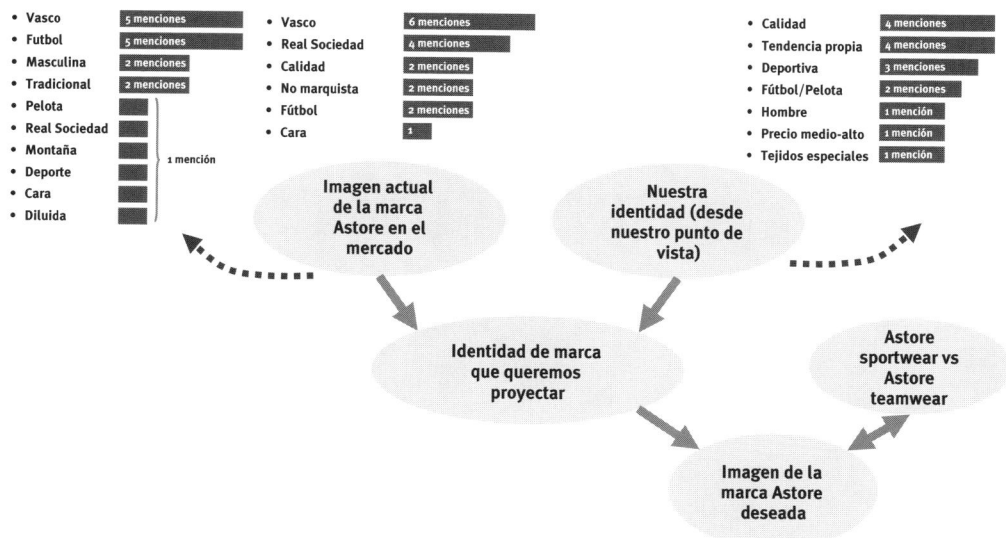

CUADRO 4.1.
NUEVA IDENTIDAD PARA LA MARCA ASTORE

DEFINICIÓN DE LA IDENTIDAD DE LA MARCA ASTORE			
ACTIVIDAD	Diseño y comercialización de prendas deportivas y accesorios para la competición y la vida diaria		
AREA OF COMPETENCE	**Mercados objetivo:**		
	Mercados estratégicos prioritarios: Euskadi y Navarra		
	Mercado estratégico: Cataluña		
	Mercados no estratégicos: resto de mercados		
	Segmentos estratégicos:		
	Clubes deportivos que valoran el diseño personalizado, la calidad y el servicio a la hora de vestir a sus equipos		
	Consumidores urbanos con un estilo de vida activo y socialmente responsable		
CORE VALUES	Por la tradición industrial del País Vasco que nos sentimos herederos, en Astore creemos en el trabajo bien hecho. CALIDAD	**INSTRUMENTAL**	**EXPRESSIVE**	**CENTRAL**
	Por las raíces de las que somos parte, valoramos la autenticidad y apostamos por un diseño con personalidad, atemporal. DISEÑO	Calidad de los tejidos y la confección	Diferente, único, responsable	Comodidad y practicidad, estilo y desempeño
	Desde siempre, hemos sabido adaptarnos a los cambios. Modernidad, innovación en conceptos, ideas, tejidos, formas de hacer, practicidad. INNOVACIÓN			
	Lo local frente a la globalización de las tendencias. LOCAL			
BRAND VISION	Una sociedad que practica deporte como una forma de relacionarse con los demás y de sentirse bien consigo mismo. Unos individuos con un estilo de vida activo y socialmente responsable que se refleja en su forma de vestir y comportarse. Singularidad		
BRAND MISSION	Ofrecer a la sociedad y los individuos las prendas deportivas que mejor se ajusten a sus necesidades y a su estilo de vida		
BRAND AMBITION	Marca con estilo, diseño y valores locales para el resto del mundo. Con responsabilidad y respeto hacia los entornos social y medioambiental		
BRAND IDEA	"Diseño local para un sport lifestyle del siglo XXI"		

GRÁFICO 4.3.

ESCENARIOS DE OPORTUNIDAD QUE SURGEN PARA ASTORE DERIVADOS DE ESTE NUEVO POSICIONAMIENTO

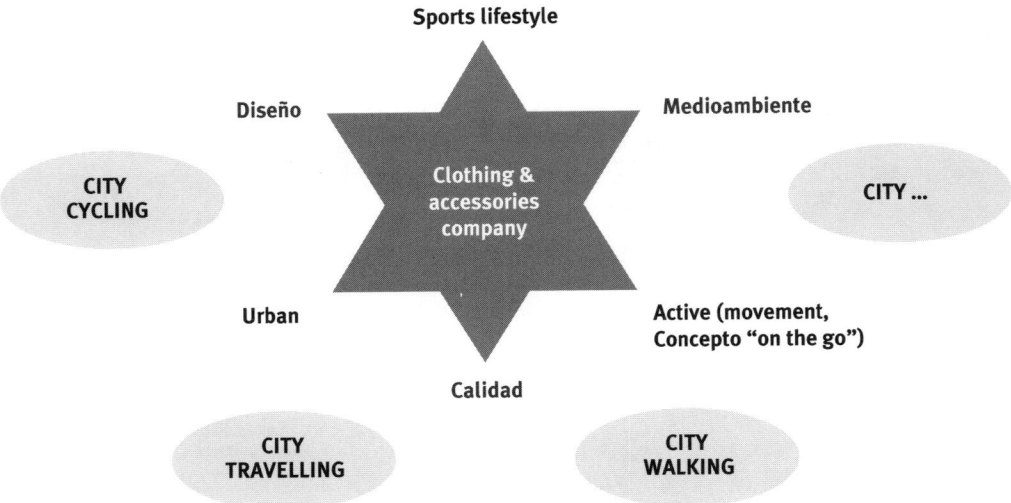

El nuevo concepto *Urban Life* es la forma que tiene la marca de entender el *street wear* del siglo XXI, y se materializa en tres líneas diferentes (gráfico 4.3): *City Traveling*, dirigida a turistas urbanos; *City Moving*, ideada para deportista urbanos, y *City Cicling*, destinada a ciclistas urbanos, la apuesta más fuerte de Astore de cara al futuro. *"Queremos cubrir las necesidades de todas aquellas personas que utilizan la bicicleta como medio de transporte en la ciudad. Hemos detectado que en el mercado no existen prendas que combinen un diseño actual, de tendencia y urbano, con altas prestaciones técnicas y vemos que ahí tenemos una oportunidad"*, explicaba Jokin Umerez, su promotor.[24] *"Ofrecemos prendas con estilo, look urbano, pero dotadas de prestaciones técnicas, un territorio en el que contamos con 25 años de know how"*, precisaba.[25]

En adelante, la marca se vertebrará en tres universos diferenciados, que mantienen la esencia de Astore, pero que cuentan con identidad propia:

- *New Classics:* Es la línea de producto más reconocida de Astore, la que conserva los valores originales de la marca. Se compone de prendas que representan el

---

[24] Director general de IASA.

[25] Y con motivo de su 25 aniversario, Astore creó una colección cápsula denominada *"Perkain by Astore"* que estuvo en tiendas desde la temporada Primavera / Verano 2013. Astore comparte con la pelota vasca sus raíces, sus valores deportivos, como dinamismo, esfuerzo, compañerismo o competición, y sus valores estéticos, ya que se trata de un deporte elegante con un código de estilo. Y lo hace con prendas de alta gama, personificadas en la figura del mítico pelotari bajonavarro Juan Martín Inda, *"Perkain"*. Se trata de una colección de prendas diseñadas en exclusiva por el diseñador Javier Erostarbe, habitual colaborador de la marca, con la que Astore pretende hacer un guiño a sus orígenes: la pelota vasca.

emblema de la marca, conservan los valores más auténticos de Astore: comodidad, calidad y know how.

- *Urban life*: Es el nuevo concepto dirigido a gente urbana, con un espíritu joven, casual, que valora la calidad, que busca sentirse bien y lleva un estilo de vida saludable y valora y busca el diseño y la tendencia en las prendas. Con tres nuevas líneas:

  - *City cycling*: Es la línea por la que Astore mantiene su apuesta más firme. Dirigida a ciclistas urbanos que usan la bicicleta como medio de transporte cotidiano y de ocio, que buscan ropa y complementos que les permita desplazarse en bicicleta por un entorno urbano de la forma más cómoda, práctica y segura posible, con un estilo casual y cotidiano pasando desapercibidos entre el resto de ciudadanos. Pensando en ellos, Astore ha diseñado prendas confortables, seguras y de tendencia; prendas adaptables a sus necesidades, a su día a día, que se adecuan a los cambos de temperatura y esfuerzos, transpirables, ligeras, fáciles de guardar y limpiar, impermeables, con protecciones especiales y un diseño casual, elegante y de tendencia. Una gama de productos que en textil está formada por chaquetas cortavientos, chaquetas impermeables, camisetas, polos, sudaderas, chalecos y pantalones, piratas, bermudas; y, como complementos, una gama de accesorios para transporte, en código ecológico y con diseño atractivo *(cycling bags)*.

  - *City travelling*: Dirigida a gente a la que le gusta viajar por entornos urbanos, con el fin de visitar y conocer ciudades, que realiza estancias cortas-medias, que viaja sola o en pareja-familia y, para ello, busca ropa y complementos convencionales, que les permita visitar entornos urbanos de la forma más cómoda y segura posible, con un estilo casual y cotidiano pasando desapercibido entre el resto de ciudadanos. Astore ha desarrollado una línea que pretende satisfacer todas estas necesidades y demandas a través de prendas cómodas, ligeras, de poco volumen, fáciles de limpiar-quitar-poner-guardar-colgar-secar, con características técnicas, transpirables, difíciles de manchar y con un *look* casual y urbano, polivalente (tanto para día como para noche), y fáciles de combinar con otras prendas.

  - *City moving*: Esta tercera línea está ideada para gente que practica deporte en un entorno urbano (*running*, *walking*, *aerobic*...) de forma frecuente y que busca un *look* deportivo con estilo, ropa y complementos con estilo urbano-deportivo, que le permita practicar deporte de la forma más confortable y estilosa posible. La propuesta de Astore se materializa en una colección con prendas cómodas, ligeras, ajustables, con características técnicas, tejidos transpirables, antibacteria y resistentes, pero con un look que respira tendencia y estilo.

- *Teamwear*: Colecciones personalizadas para clubs deportivos y colectivos, reflejo del *expertise* de Astore en la *customización* de prendas. La marca de ropa deportiva mantiene así su línea de negocio especializada en el diseño de colecciones especiales para equipos profesionales, tanto equipamientos oficiales como réplicas.

4.3. Ternua contribuye a la innovación e internacionalización de IASA

Es en la campaña de primavera de 1995 cuando aparecen en el mercado nacional las primeras prendas con la marca Ternua,[26] que significa Terranova en euskera. La dirección de IASA había decidido desvincularla de la marca Astore y diferenciarla de los competidores con un *story* que contar, real y auténtico que inspirara emoción y aventura además de trasmitir valores actuales y compartidos globalmente: los balleneros vascos (que concedían mucha importancia a la ropa y a la alimentación), siglo XV, intrépidos, aventura, ballenas, defensa de la naturaleza, etc. Estos balleneros vascos se relacionaron de forma amigable con pueblos y culturas de otro mundo, defendiendo lo suyo pero a la vez abiertos al mundo. Y en aquellas tierras frías, con una climatología extrema, era necesario equiparse con buenas prendas técnicas de *outdoor*.

4.3.1. Contribución de Ternua a la innovación en IASA

Como acabamos de señalar, Ternua tiene una historia vinculada a la internacionalización de los balleneros vascos que iban a pescar a Terranova[27] y que necesitaban unas prendas adecuadas a dicha climatología, y tiene un presente y un futuro ligado a la innovación e internacionalización de la marca y, en consecuencia, de IASA.

Por ello, durante todos estos años, además de trabajar con los mejores proveedores de tejidos existentes en el mercado como *Gore-Tex, Polartec, Schoeller, Primaloft y Pertex*, entre otros, IASA ha desarrollado tejidos propios en cada categoría de producto

---

[26] En la campaña de invierno 1994 las prendas de *outdoor* de IASA se comercializaron como Terranova by Astore.

[27] Para documentarse sobre los viajes realizados y conocer la relación que mantuvieron con los Inuits, indígenas de aquellas tierras, IASA recibió la ilusionante colaboración de Xelma Huxley, historiadora inglesa, representante en España de los Archivos Públicos de Canadá. Xelma ejerce la investigación y la docencia, tras haber estudiado en la Sorbona y en la Universidad de Londres. El tema central de su trabajo es la huella de los vascos en el Canadá. En la década de 1970, descubrió la presencia y actividad de balleneros y bacaladeros vascos en "Terranova" en los siglos XVI y XVII. En 1977 organizó una expedición a Labrador, donde descubrió los restos arqueológicos de instalaciones balleneras vascas, confirmando los resultados de sus investigaciones en archivos europeos. Un año después hallaron en Buttes (Red Bay) el pecio de un galeón ballenero, el San Juan, construido en Pasaia (Gipuzkoa). La nave es el primer barco mercante del siglos XVI intacto en su mayor parte que ha sido excavado en América, y su estudio ha aportado grandes conocimientos sobre la construcción naval europea en la era de los grandes descubrimientos por mar. También colaboró su hijo, Michael Barkham, doctor en Geografía por la Universidad de Cambridge, cuya especialidad es la historia marítima del País Vasco y de Canadá en los siglos XVI y XVII, así como la presencia de balleneros y bacaladeros vascos en "Terranova".

y los ha bautizado, utilizando como elemento común la palabra *shell*, que significa caparazón / protección:

- *Dryshell*: primera capa para mantenerlo seco.

- *Dryshell active*: primera capa, con mezcla de lana, para mantenerlo seco y proporcionar calor.

- *Thermashell*: segunda capa, de protección contra el frío.

- *Windshell*: tercera capa, de protección contra el viento.

- *Shelltec*: tercera capa, de protección del agua, función W/R 10000 mm, MVP 10000 grs/m^2/24h.

- *Shelltec active*: tercera capa, de protección del agua, función 30% más transpirable y 30% más impermeable que el tejido *Shelltec*.

- *Microshell*: pantalones y bermudas no elásticas.

- *Shellstretch*: pantalones y bermudas elásticas.

4.3.2. Creación de Ternua *Outdoor Gear* en 1994

Una vez tomada la decisión de dar por finalizada la línea Terranova by Astore, se apostó por Ternua como marca independiente, para la que había que crear y desarrollar toda una nueva gama de productos de *outdoor* y crear una nueva red comercial, ajena a la de Astore. Se diseñó un concepto de tienda nuevo, con muebles propios de Ternua, y lo dibujaron con acuarelas en un bonito cuaderno. Y con esa excusa visitaron a sus mejores clientes para contarles el *story* de Ternua, su filosofía y su idea de trabajarlo con cierta exclusividad.

Como se cuenta de otros importantes empresarios españoles, durante el viaje de novios a EE.UU. consiguieron información acerca de la fundación WDCS (*Whale and Dolphin Conservation Society*) y se trajeron *posters* e imágenes de ballenas para ayudar a comunicar Ternua. Durante ese año adoptaron cuatro ballenas a través de la WDCS para dar más credibilidad a la *story* de Ternua.

Crearon la primera colección Ternua y la presentaron en la feria de verano que se celebraba en Madrid en septiembre de 1994, para servirla en la campaña primavera verano de 1995. Comunicaba ballenas y sostenibilidad. Ternua utilizaba tejido *Polartec* reciclado en la producción de sus polares, siendo el tejido menos atractivo a la vista y algo superior en precio.[28] Realizaron una PLV que presentaba una botella de plástico entera y el proceso para convertirla en tejido *Polartec*. Despacio pero creciendo, Ternua

---

[28] Por aquellos años, Astore vendía muchísimos polares, y Ternua apenas ninguno.

fue afianzándose en el mercado. A finales de los años 90 y principio de este nuevo siglo, se produjo la explosión de Ternua en el País Vasco. *"Siempre de la mano de nuestros clientes y gracias al cariño que despierta Ternua entre los consumidores vascos"*, apostilla Esteban Uribesalgo. El entusiasta de la marca Ternua viste con orgullo estas prendas. Además de apreciar la calidad del producto y gustarle esa forma de vestir, hay un sentimiento de pertenencia. Auque también hay otros muchos consumidores que compran Ternua por los precios especiales que ofrece a la distribución, y que podrían ser consumidores de otras firmas dado el caso. A pesar de ello, también tienen confianza en Ternua.

4.3.3. Algunas gestas destacadas de escaladores equipados con Ternua

En 1999, Juanito Oyarzabal se convierte en el primer alpinista nacional en conquistar las 14 cumbres más altas del planeta. Es la 6ª del mundo y la 4ª sin ayuda de oxígeno.

El mes de julio del año 2000 finaliza con una terrible noticia: Felix Iñurrategi fallece en el descenso del Gasherbrum II. Acababa de hollar su 12º ocho mil y siempre junto a su hermano Alberto. En mayo de 2002, Alberto Iñurrategi se convierte en el 10º alpinista en conseguir subir a las 14 montañas más altas de la Tierra. El más joven de todos ellos y el 6º sin ayuda de oxígeno.

En 2005, el escalador Patxi Usabiaga se incorpora a los *"Friends de Ternua"* y en los siguientes cuatro años se convierte en Tricampeón de la Copa del Mundo de Escalada Deportiva, además de ganar un Campeonato de Europa (2008) y una Copa de Europa. La revista americana *Climbing* le eligió Escalador del Año (en 2003 y repitió en 2006).

En 2009 la gallega Chus Lago se convierte en la primera española en alcanzar el polo sur tras 59 días de travesía en solitario por la Antártida. En el año 2004 había terminado su proyecto Leopardo de Las Nieves, título otorgado a los deportistas que consiguen coronar los picos más altos de la extinta URSS, convirtiéndose en la única mujer viva que ostenta dicho título. Además ha ascendido al *Everest* y *Cho Oyu*.

4.3.4. Campaña 2003-2004: Ternua, *"Non Gogoa Han Zangoa"*

IASA decide abandonar el genérico *claim* "*Outdoor Gear*" y adoptar un nuevo *claim*, en euskera, para reforzar la autenticidad de la firma. Un *claim* más filosófico, con identidad propia, que transmite aventura y ganas de realizar nuevas acciones. El universo es mental: "*Somos lo que pensamos. Si queremos, podemos. Si creemos que es posible, será posible*", dice este lema. "*Y no es retórica. Sabemos muy bien de lo que hablamos. De otra forma, cómo una empresa tan pequeña como nosotros, situada en un estrecho valle, entre montañas, iba a llegar tan lejos"*, apuntan en IASA, y concluyen: *"Porque es verdad que todos tenemos límites. Físicos y mentales. Pero se pueden superar. Y entonces descubrir, frente a nosotros, unos límites nuevos. Detrás de cada loma, siempre hay otra loma. En eso consiste la montaña. Y la vida. "Non gogoa, han zangoa" es un viejo proverbio vasco que todos, en Ternua, tenemos en mente. Estamos legitimados".*

Desde el nacimiento de Ternua, sus proveedores de tejidos técnicos les animaban a iniciar la aventura al exterior. Les transmitían que la fuerza del logo y el *story* que contaban tenía proyección internacional: *"que más allí de nuestras fronteras el interés hacia los productos que ofrecíamos era mayor (eso ya lo suponíamos) y que apreciaban lo que las marcas transmitían y lo diferente. En Ternua somos conscientes de que nuestra actividad empresarial, además de contribuir positivamente a la sociedad, puede generar también impactos negativos que es necesario asumir con responsabilidad para tratar de minimizarlos. Bajo el concepto "commitment" tratamos de resumir estos principios que nos mueven a trabajar por el desarrollo, interactuando con el medio natural y las personas de una forma armónica y ética: utilizamos solamente algodón orgánico, ya que en su cultivo no se utilizan pesticidas; bolsas biodegradables; papel reciclado o certificado; tejidos reciclados y tejidos certificados bluesign"*, señala con orgullo la Dirección de Ternua.

4.3.5. Incipiente internacionalización de Ternua

Con estos valores y ADN, en 2001 comienza el proceso de internacionalización de Ternua –como suele ser habitual– acudiendo a participar en la feria ISPO *Winter*, la más importante del calendario internacional, que se celebra en Munich. Desde esa fecha, el *stand* de Ternua[29] ha podido ser visitado en todas sus ediciones posteriores. En la primera edición se consiguió un pedido de una tienda de Groenlandia.[30] El logo y el *story* de las ballenas les llamó su atención.[31]

Pero, como señalábamos al final del capítulo 2, las cuestiones básicas que toda empresa debe plantearse a la hora de internacionalizarse son: ¿cuándo?, ¿qué actividad?, ¿dónde? y ¿cómo? Y éstas fueron las decisiones estratégicas adoptadas por IASA al respecto:

---

[29] Para la Dirección de IASA fue importante estar presente en esta feria con un *stand* propio. Y, como siempre, también el esfuerzo realizado. Querían poner a prueba Ternua para detectar si los clientes potenciales de otros países mostraban interés por las prendas de Ternua.

[30] Desde sus casas pueden ver las ballenas.

[31] Ese mismo año 2001 trabajaron en el citado proyecto de "Seguridad y Confort en el trabajo", en coordinación con la Fundación Azti, para desarrollar una prenda que cumpliera los requisitos del proyecto y, a través de las Cofradías, vestir a los pescadores vascos. El proyecto contaba con fondos europeos y también del Gobierno Vasco. Se denominó *"Safe Sail System"*. El proyecto tuvo un desarrollo positivo y culminó con el suministro de las prendas a toda la flota de bajura: primera y segunda capa, además de la chaqueta y el peto de *GoreTex*. El peto incorporaba el elemento de seguridad. Y en la ISPO 2002, esta innovación les hizo acreedores al premio ISPO AWARD en la categoría de *Hardwear*.

1. **¿Cuándo?** Hace algo más de diez años, en un momento dulce en el que el mercado local tiraba con fuerza de las ventas tanto de Astore como de Ternua, IASA comprendió la necesidad de dar los pasos necesarios para arrancar con un proceso de internacionalización de las ventas que le ayudara a crecer[32] y diversificar sus ventas, de manera que la dependencia del mercado local y de una cartera de clientes en claro proceso de concentración fuera cada vez menor.

2. **¿Qué?** Para ello era necesario definir qué tipo de producto y qué marca presentaba mayores posibilidades para acometer este trayecto con mayores probabilidades de éxito. El análisis de posibilidades llevó a tomar la decisión de acometer la internacionalización de forma selectiva, identificando el *outdoor* como un nicho del mercado del deporte con niveles de crecimiento interesantes. El tamaño de los competidores en este mercado objetivo, aun siendo en muchos casos de un tamaño superior al de IASA, no eran tan grandes como en otros sectores.[33] Por tanto, los primeros pasos de la internacionalización se dieron con la marca Ternua y con su gama de productos.

La internacionalización pronto hizo ver a la Dirección de Ternua que tenía recorrido para crecer en lo que a diseño y desarrollo de producto se refería. Era necesario que el producto tuviera un estándar de calidad, tecnicidad-funcionalidad y diseño medio-alto. Para llevar a cabo este proceso, Ternua se apoyó en el conocimiento que le fueron aportando: fabricantes de tejidos internacionales de reconocido prestigio con los que ya venía trabajando como *Gore Tex*, *Polartec*, *Schoeller* y *Pertex*, entre otros, acabadores de las prendas con los que ya empezaba a trabajar Ternua[34] y, por supuesto, los consumidores finales.[35]

Pero lo que en muchos casos parece que es la palanca para tener éxito en mercados internacionales (tener un buen producto), en este caso no era suficiente. Tener un buen nivel de producto en cuanto a calidad y tecnicidad era necesario para poder empezar a competir y a ser considerado como un "jugador" con posibilidades de participar en mercados internacionales, pero no era la palanca clave. De ahí que se vio la necesidad de apoyar la labor internacional con dos intangibles sobre los que pivotar la singularidad de la oferta: la identidad de la marca[36] y el diseño (estética) diferencial del producto (con claras raíces locales).[37]

---

[32] Para adquirir una masa crítica de la que carecía.

[33] Como, por ejemplo, el mercado del deporte en general en el que las grandes marcas (*Nike*, *Adidas*, etc.) tenían ya un tamaño y una capacidad de inversión muy difíciles de igualar por IASA.

[34] En algunos casos, estos mismos talleres de confección trabajan para marcas de prestigio internacional. El proceso de adquisición del nuevo "know how" fue directo y clave.

[35] La Dirección de Ternua tuvo clara la necesidad de ir adquiriendo, canalizando e incorporando el *feedback* que alpinistas internacionales daban del comportamiento de sus prendas.

[36] Recuérdense los comentarios hechos en este mismo apartado sobre la identidad de la marca Ternua.

[37] El diseño estético de las prendas no ha seguido las corrientes y tendencias internacionales más convencionales. Corrientes que buscan gustar, al menos, un poco a muchas personas de diferentes procedencias y, por tanto, con gustos estéticos en muchos casos nada homogéneos. Ternua ha desarrollado su propio "código estético", lo cual ha hecho que conecte muy bien en determinados mercados y que haya costado entrar en otros.

3. **¿Dónde?** Después de un análisis de su potencial en los diferentes mercados, Ternua decidió iniciar su actividad en mercados donde el sector del *outdoor* presentaba mejores ratios de crecimiento (menos maduros). Definió Asia como un área geográfica estratégico-prioritaria donde el mercado del *outdoor* presentaba importantes señales de crecimiento y donde la competencia internacional todavía no había ocupado una posición tan fuerte como en los mercados europeos y norteamericanos. Y Corea fue su primer mercado asiático.

   • **Asia**. Como en muchas circunstancias de la vida, la casualidad abrió una puerta a IASA: Astore vestía en aquel momento al equipo de fútbol Real Sociedad. El club acababa de firmar con un jugador coreano.[38] Una compañía coreana dedicada a la distribución comercial de elementos para el deporte propuso licenciar la marca Astore en aquel país. De esta manera, IASA ha venido obteniendo unos royalties por la marca Astore en el mercado coreano hasta que el año pasado se llegó a un acuerdo con el licenciatario para vendérsela. Hoy Ternua está presente en Corea[39] (2004), Japón (2007) y Taiwán (2008).

   • La segunda área geográfica por importancia es **Europa**. Ternua comenzó sus pasos en mercados en aquel momento en desarrollo como Chequia (2008), Eslovaquia (2008), Rumania (2008) y Polonia (2010). Una vez dados estos pasos, se han acometido otros mercados: Italia (2011), Alemania (2013) y Francia (2013).[40]

4. **¿Cómo?** Uno de los primeros pasos para salir al exterior es acudir a las ferias más importantes del sector, con la doble finalidad de conocer la evolución del mercado (clientes y competidores) y establecer los primeros contactos con agentes relevantes en sus respectivos mercados. Entre las ferias visitadas por IASA, "por los éxitos y fracasos cosechados", cabe resaltar las siguientes:

   • *Outdoor Friedrichshaffen*. La feria de *outdoor* de verano más internacional es la de *Outdoor Friedrichshaffen*. Ternua acudió por primera vez con *stand* propio en 2005 y el resultado fue bastante decepcionante.[41] No se volvió a presentar hasta el año 2009-2010. Pero aprendieron de esta experiencia negativa.

   • **Ispo Shangai.** Presentaron Ternua al mercado asiático en 2006 en esta feria de Shangai. Fue una experiencia positiva, ya que de ella salió el contacto y la relación con el primer licenciatario que tuvo Ternua en Corea del Sur.

   • **Ispo Pekin:** Decepcionante experiencia, de nuevo. Aprendieron que no era la vía correcta para entrar en China. No se ha vuelto.

---

[38] *Lee Chun-Soo*.

[39] Con otro licenciatario.

[40] Ternua cuenta con distribuidores en Chequia, Italia, Rumania, Eslovaquia, mientras que está en algunas tiendas de Francia, Alemania, Suiza y Groenlandia.

[41] La anécdota fue la conversación mantenida con un visitante americano. Les comentó que llevaba 35 años en el mercado de *outdoor* americano, que quería crear una marca y que tenía el capital, el conocimiento, los proveedores donde fabricar y los clientes donde vender y que sólo le faltaba el nombre, un buen logo y una historia que contar. "Y ustedes la tienen" les dijo.

En cuanto a su estrategia de distribución exterior, Ternua entra en estos mercados a partir de tiendas especializadas en productos *outdoor*, de la siguiente forma:

- En mercados lejanos[42] (Japón y Taiwán) y de tamaño reducido (Chequia, Eslovaquia y Rumania), Ternua lo hace a través de alguna cadena de tiendas especializadas.

- En mercados con alto potencial (por su tamaño y/o por cercanía cultural) lo hace a través de equipos de representantes. Éste es el caso de Italia, Alemania, Francia y Polonia.

En el **plan de internacionalización** de Ternua, anterior a la constitución de Ternua Group, figuraba la siguiente estrategia en cuanto a mercados e infraestructuras productivas y logísticas:

- **En cuanto a mercados exteriores:**

  - **Áreas geográficas**: Asia constituye un área estratégico prioritaria para Ternua. Europa es un área estratégica. Y Latinoamérica no es estratégica en el corto plazo.

  - **Países en cada área de mercado:**

    - Asia: Japón, Corea y Taiwán.

    - Europa: Italia (2011), Alemania (2013), Francia (2013), Polonia (2013), República Checa (2008), Eslovaquia (2008) y Rumania.

    - Latinoamérica: Colombia, Ecuador y Perú.

  - **Tipo de distribución:**

    - En Asia: Japón (2007) y Taiwán (2008), a través de cadenas de tiendas especializadas; en Corea (2008) a través de un licenciatario.

    - En Europa: mediante agentes comerciales, en los países con mayor potencial: Alemania, Francia, Italia y Polonia, y a través de cadenas de tiendas especializadas en el resto (República Checa, Eslovaquia y Rumania).

- **En el área industrial**, IASA trabaja con fabricantes homologados en:

  - Europa: Portugal.

  - Norte de África: Túnez.

  - Asia: India, China y Vietnam.

---

[42] Corea es la excepción, porque, como se ha señalado, se trabaja a través de la fórmula de licencia. Su socio coreano lo trabaja de manera muy cercana de cara a aumentar el número de tiendas monomarca Ternua, ya sean gestionadas directamente por la propia compañía licenciataria o a través del desarrollo de un número cada vez más importante de tiendas franquiciadas.

- **A nivel logístico,** complementaria a la plataforma existente en Mondragón, se cuenta con una segunda plataforma logística en Hong Kong para dar servicio a los clientes asiáticos.

4.4. Impulso a la internacionalización a partir de la constitución de Ternua Group

Entrado el año 2013, la Dirección de IASA toma la decisión de impulsar su internacionalización y, para ello, considera que una oportunidad que no debe rechazar es la integración de la empresa Lorpen en su órbita de actuación, por dos principales motivos: la complementariedad de productos y su apuesta por la internacionalización.[43] Tras meses de acercamiento, a finales de 2014 se constituye Ternua Group, en la que además de Import Arrasate (IASA) se integran Lorpeland y sus filiales: industrial (Lorpen México) y comercial (Lorpen North America).

A partir de este momento, Ternua Group[44] cuenta con dos centros productivos: Lorpeland, en Navarra, que produce los calcetines técnicos de la marca Lorpen para Europa y Asia, y Lorpen México, que hace lo mismo para América. Y dos centros de distribución y comercialización: IASA, que se encarga de Europa y Asia, y Lorpen North America que hace lo propio en Canadá y Estados Unidos.

La Dirección General se ha fijado el objetivo de consolidar Ternua Group (económica y financieramente) y crecer ordenadamente a largo plazo, para lo cual ha definido el "plan 5/50" que pretende alcanzar en cinco años los cincuenta millones de euros mediante crecimiento orgánico e inorgánico.

GRÁFICO 4.4.
ESTRUCTURA SOCIETARIA DE TERNUA GROUP

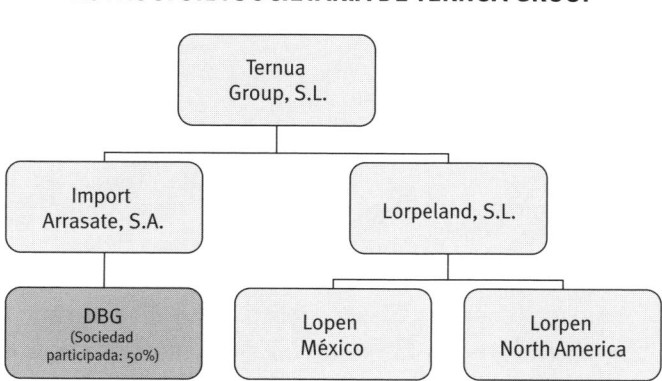

---

[43] Lorpen se dedicaba a calcetines técnicos, contaba con filiales en Toronto (Canadá) y México y el ICEX lo citaba como una PYME internacionalizada: véase el cuadro 7.1.
[44] Cuyos servicios centrales están en Mondragón (Gipuzkoa), en unas oficinas que comparte con IASA.

Es obvio que el eje principal de la estrategia corporativa definida para alcanzar tan ambiciosos **objetivos es la internacionalización** creciente de Ternua Group, pretendiendo que en 2018 el grupo obtenga el 40% de su facturación en los mercados internacionales.

Las líneas maestras de la **estrategia de internacionalización** son:

- En cuanto a **mercados**:

  - Como muestra el gráfico 4.5, se pretende que Lorpen tenga un desarrollo internacional expansivo. Por el contrario, Ternua lo debiera tener intensivo. Mientras que Astore se focalizará en el mercado español, no teniendo por el momento pretensiones de desarrollo internacional.

  - Y, atendiendo a criterios de atractivo de mercado y posición competitiva, los mercados estratégicos para Tenua Group son los que presenta el gráfico 4.6.

- En cuanto a **productos**:

  - Como se puede apreciar en el gráfico 4.7 (A), Lorpen será la marca del grupo en calcetines técnicos. Ternua la marca de *outdoor,* y Astore la marca de *sport wear,* el producto menos técnico del grupo.

  - El gráfico 4.7 (B) expone los destinos principales de cada uno de estas marcas y gama de productos.

- En cuanto a **la estrategia comercial y de distribución**, se ha elegido una estrategia multiformato, eligiendo el formato más adecuado según las características del área geográfica en cuestión y la posición competitiva del grupo. En concreto, esta estrategia contempla los siguientes formatos:

  - *Key accounts***:**

    - Países donde una cadena de tiendas con posicionamiento técnico tiene una cuota de mercado alta.

    - O volumen de mercado pequeño.

    - Tres áreas geográficas:

      - Europa y Asia: Prioritarias.

      - América del Sur: No prioritaria (en este momento).

      - Ejemplo: República Checa (*Rockpoint/Hudy*), Taiwan (*Metroasis*), Japón (*ICI*), Hungría (*Mountex*), Eslovenia (*Iglu*), Rumanía (*GD Escapade*) y Centro América (*Depa*).

  - **Distribuidor**:

    - Países con dificultades como riesgo de cobro, aduana, cambio de moneda.

- Ejemplo: Italia (*Basic Group*), Polonia (*Agnen Sport*), Rusia (*Alpine Direct*) y Ucrania (*Vysota*).

- Modelo a extender al Reino Unido y Escandinavia.

– **Red de agentes**:

- Países miembros de la CEE con euro y sin riesgos especiales.

- Ejemplo: Francia (ABCD).

- Es un modelo que se pretende extender a otros países como Holanda, Bélgica, Luxemburgo o Portugal.

– **Filial / oficina comercial**:

- Países miembros de la UE con potencial de mercado importante.

- Ejemplo: Alemania / Austria.

- Modelo a extender a medio / largo plazo en los mercados identificados con alto potencial.

- Países lejanos con potencial muy importante.

- Ejemplo: USA / Canadá.

– **Licencia**:

- Países importantes con mucha diversidad en cuanto a patronaje, tendencias estéticas, etc.

- A complementar el modelo de "licencia" con la exportación de líneas más técnicas (*Alpine, Gore Tex…*).

- Área geográfica: Asia.

- Ejemplos: Corea y China.

Como fruto de este impulso a la internacionalización surge una PYME multilocalizada, tanto industrial como comercialmente, con una presencia internacional mayor, tanto en cuanto a productos como a marcas y canales de comercialización. Al menos éstas son las bases del **plan de internacionalización** de Ternua Group que, para no extendernos demasiado, hemos esbozado en este último punto.

GRÁFICO 4.5.
ESTRATEGIA DE DESARROLLO DE MERCADOS, POR MARCAS

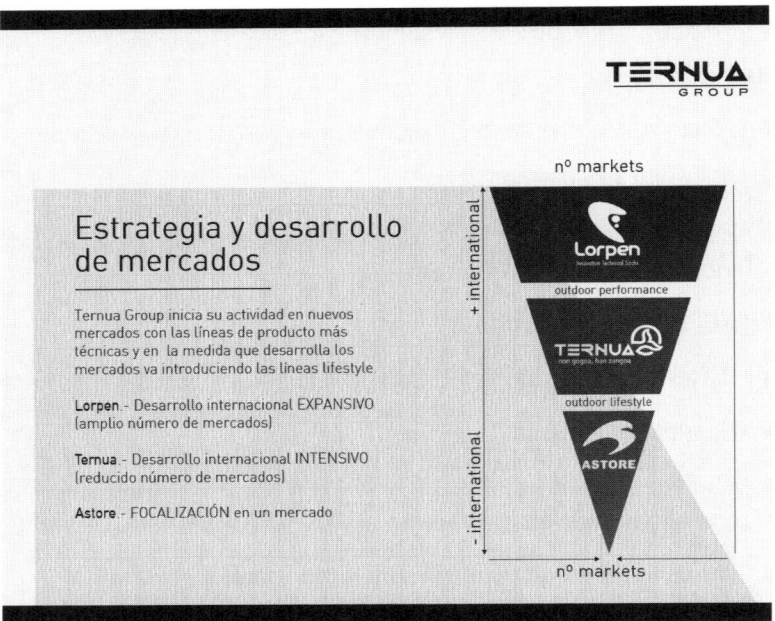

GRÁFICO 4.6.
ESTRATEGIA DE DESARROLLO DE MERCADOS, POR PAÍSES

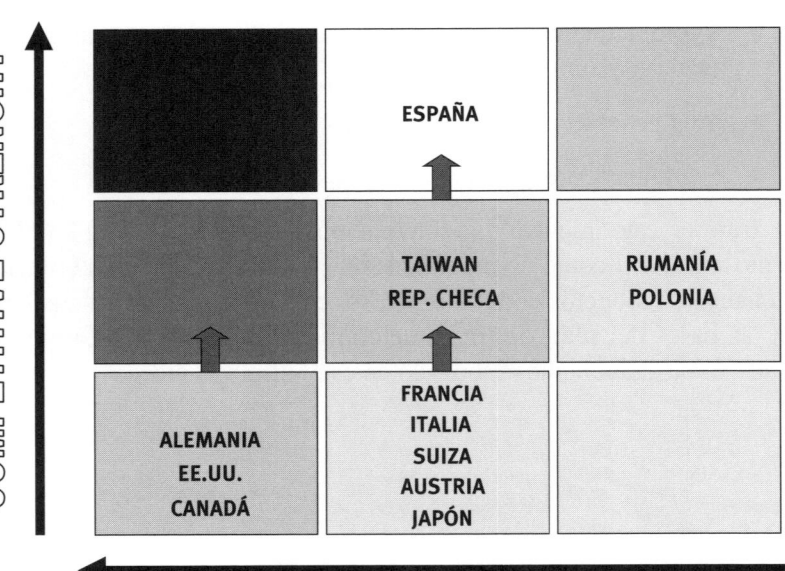

GRÁFICO 4.7. (A)
ESTRATEGIA DE DESARROLLO DE PRODUCTOS, POR MARCAS

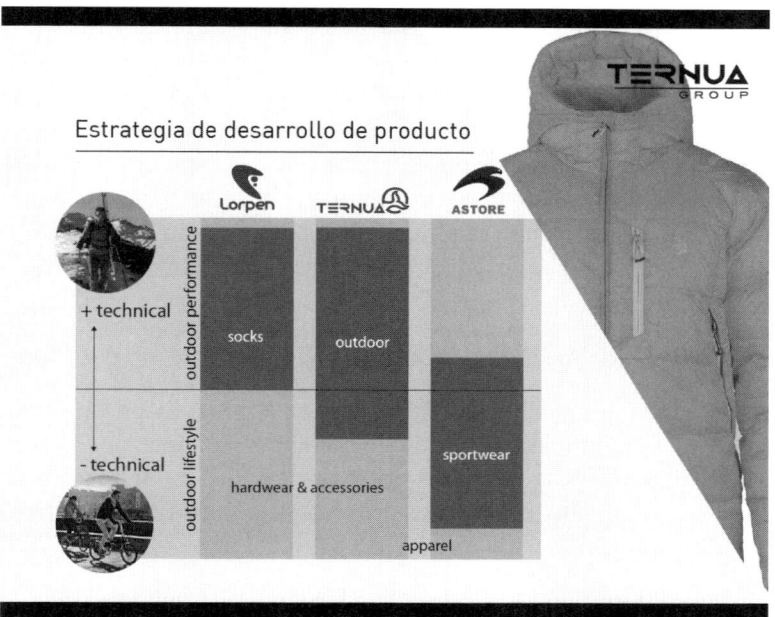

GRÁFICO 4.7. (B)
ESTRATEGIA DE DESARROLLO DE PRODUCTOS, POR MARCAS

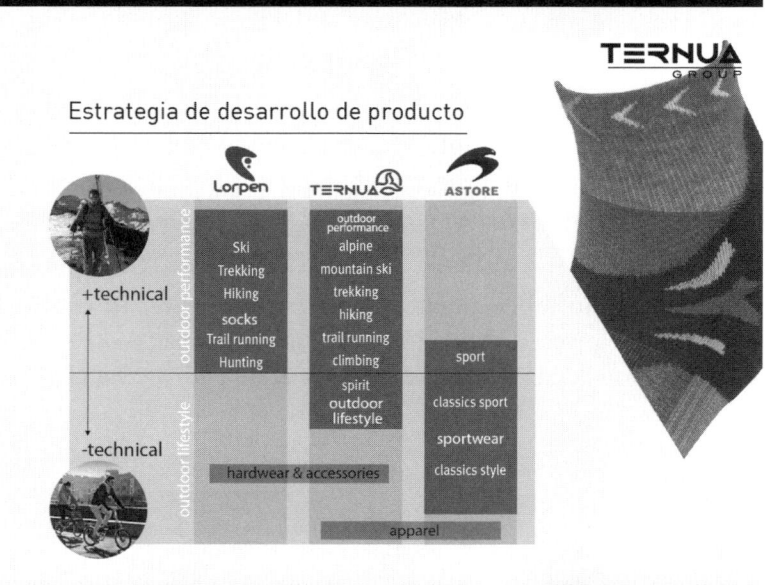

4.5. Resumen

Este segundo caso de internacionalización nos muestra una PYME con un pasado glorioso, jalonado de hitos pioneros y singulares que, como ocurre en otras muchas empresas, ha pasado por una etapa difícil debido a la fuerte competencia internacional a la que tiene que hacer frente, a los profundos cambios producidos en el mercado español en los 25 años de existencia, que es conciente de que o se renueva permanentemente o muere[45] y que puede tener un prometedor futuro si consigue tener éxito en su **plan de internacionalización**, afrontando una nueva etapa en la que Astore, Ternua y Lorpen encuentren su nicho en los mercados internacionales que están definidos en sus respectivos planes de marketing.

Este caso nos recuerda ideas expuestas en otros libros,[46] como por ejemplo:

1º) Que tanto en la innovación reactiva como en la proactiva hace falta una actitud innovadora y emprendedora. O, dicho con otras palabras, que **la innovación es cuestión de actitudes**. Y si éstas no se dan en nuestra empresa o las creamos, difícilmente podremos emprender proyectos de innovación e internacionalización como el expuesto.

2º) Que para vivir con una actitud innovadora hay que mantener una **mentalidad abierta al cambio** y una **mentalidad crítica**. Que es necesario cuestionarse todos los días nuestros productos, pues así lo hacen los consumidores y, además, que los productos nuevos que llegan al consumidor final pueden hacer desaparecer a los anteriores. Que, por supuesto, no siempre es posible ni fácil obtener innovaciones radicales. Tampoco pretendemos aquí darles más importancia que a las innovaciones incrementales mostradas en este capítulo. Cada empresa, en cada momento, según sus necesidades y objetivos, deberá ver si la innovación que debe perseguir es radical o incremental. Lo que sí está claro es que lo más frecuente son innovaciones incrementales.

3º) Que en cuestiones como la **internacionalización** de una empresa no debemos olvidar que *"el éxito es una cuestión de perseverar cuando los demás ya han renunciado"* y que *"quien tiene algo por qué vivir es capaz de soportar cualquier cómo"*.

4º) Y que es necesario utilizar tanto el **crecimiento externo como el orgánico** para abordar con profesionalidad y ambición estrategias de internacionalización como la que, con buen criterio, se ha planteado la Dirección General de Ternua Group.[47]

---

[45] Recuérdese, por ejemplo, la última innovación a la que se ha sometido Astore.
[46] Por ejemplo, en Sainz de Vicuña (2013).
[47] Sainz de Vicuña (2014).

Capítulo 5
Internacionalización de EGA Master

5.1. De consultor internacional a emprendedor de una empresa global

5.2. Planteamiento estratégico innovador

5.3. EGA Master en 2015

5.4. Resumen

"Mirad, en la vida no hay soluciones, sino fuerzas en marcha. Es preciso crearlas, y las soluciones vienen".

Antoine de Saint-Exupéry

5.1. De consultor internacional a emprendedor de una empresa global

Según el libro de Aranberri (2013), la decepción de la Alta Dirección de la Escuela de Armería de Eibar fue inmensa cuando, en el cuestionario de fin de carrera cumplimentado por Iñaki Garmendia, uno de los alumnos con mayor proyección confesó querer ser técnico comercial,[1] ya que esta Escuela se jactaba de formar a los mejores torneros, ajustadores, fresadores, delineantes, proyectistas y maestros industriales del mercado. Pero es que lo que ya a sus 18 años Iñaki vislumbraba no era otra cosa que el mercado del futuro apuntaba a la imperiosa necesidad de poner en valor el propio saber técnico. No se trataba para nada de minusvalorar la importancia intrínseca de la

---

[1] Este capítulo está basado en el libro "El método del Caso. EGA Master", escrito por Luis Aranberri, y publicado en 2013 por la Universidad de Deusto. Su publicación ha sido autorizada por Aner Garmendia, director general de EGA Master, a quien también quiero mostrar mi agradecimiento por haberme permitido presentar su caso de éxito, así como por sus aportaciones y sugerencias.

tecnología sino, precisamente, partiendo de un profundo *know how* técnico, innovar nuevos desarrollos, aplicarlos en el ámbito comercial, y conseguir así compaginar conocimiento técnico con visión comercial.

Seis años más tarde Iñaki ya era director comercial de una empresa puntera de herramienta de mano y, poco más tarde, gerente de la misma y miembro del Consejo de Administración, introduciéndose en dos ámbitos de actuación que en un futuro iban a conformar sus señas de identidad: **innovación e internacionalización**. Hasta el punto que creyó que había llegado el momento de establecerse por su cuenta y emprender el camino pergeñado en aquel breve cuestionario de fin de carrera: su decidida vocación comercial. Vocación sin restricciones y fronteras que le condujeron inexorablemente a la gestión empresarial global. En aquella decisión tuvo sin duda clara incidencia un empresario mexicano que le dijo: " *Iñaki, recuerda que las águilas vuelan solas y los buitres en manada*". Iñaki lo tenía claro, tenía 33 años y quería volar solo, quería ser águila. Así fue como surgió en 1976 Admarket (Marketing Advisor), una consultoría dedicada tanto al área de internacionalización como a la importación y distribución de artículos de ferretería. La suerte estaba echada y, paradojas de la vida, es en este contexto cuando se produce un hecho totalmente imprevisto que iba a cambiar su vida y la de los suyos: en junio de 1989, un incendio devasta la sede e instalaciones centrales de Admarket. Impotente ante las llamas, con los ojos llorosos, Iñaki promete: "*Empezaremos de nuevo*", convencido de que entre aquellos escombros encontraría las semillas del éxito futuro.

Solo unos meses más tarde, **en 1990**, ya **estaba funcionando** su nueva apuesta, **EGA Master, como un innovador fabricante de herramienta de mano**. Con todo, la diferencia conceptual entre una y otra es crucial. Mientras que la anterior había sido fundamentalmente una empresa limitada a la distribución, la recién constituida nacía como fabricante de herramienta de mano industrial. Pero no como uno más, sino como un fabricante con el reto y la convicción de ser distinto a todos cuantos le precedían, y adecuado en forma y fondo a los nuevos tiempos. Globalmente única.

Pues bien, en este casi cuarto de siglo, EGA Master ha ascendido, peldaño a peldaño, hasta el podio que certifica que hoy ocupa una posición de sólido liderazgo en su sector. Está presente en los mercados más exigentes de los cinco continentes, con miles de productos y una inteligente especialización en medio ambiente, seguridad y otros ámbitos emergentes, todos ellos de suma relevancia estratégica. Estamos, por tanto, ante una empresa que ha recorrido hasta el fondo el complejo camino de la innovación y de la internacionalización, pues exporta casi el 90% de su producción a más de 150 países, realiza en I+D+i una inversión cinco veces superior a la media del sector, ha desarrollado cerca de 200 patentes, ha sido reconocida con prácticamente la totalidad de los premios de excelencia que se otorgan en España y Europa, dispone de un colectivo humano ejemplar en todos los campos y, como corolario de todo ello, ha conseguido records históricos de ventas en pleno período de crisis.

Por tanto, Iñaki logra pasar de consultor internacional a empresario de éxito global, ya que EGA Master es hoy en día una empresa dedicada a la fabricación de herramientas de mano para uso industrial. Es marca de referencia mundial. Con un desarrollo de 200 patentes y 7% de inversión en I+D+i, exporta el 90% a 150 países y el 40% a mercados emergentes. EGA Master es hoy una realidad incuestionable.

Pero ¿cuáles han sido su principales hitos en estas dos décadas?

- 1990-1992: **Desarrollo de producto**. Y, en la **Feria** de Colonia (Alemania), en marzo de 1992, se hace la presentación oficial al mercado de EGA Master.

- 1992-1998: Búsqueda de **distribuidores y representantes** en Europa, América, Asia y Medio Oriente.

- 1998-2009: Apertura de **oficinas** de representación / **comerciales** propias en el extranjero (con personal local propio) en Bélgica, Francia, Italia, Inglaterra, México, Australia, Sudamérica.

- 2009-2014: Apertura y consolidación de primeras **filiales propias** con stock para distribución nacional en Brasil y México. Relación directa con usuarios finales en distintos países con un doble objetivo: para conocer mejor sus necesidades y desarrollar soluciones específicas para ellos y para realizar una labor prescriptora generadora de demanda.

Aunque EGA Master no es líder en ventas (ni por cuota de mercado) en ningún mercado, entendiendo como tal el mercado general de venta de herramientas, su **liderazgo es en nichos de mercado concretos altamente especializados**, principalmente relacionados con la seguridad (herramienta antichispa, herramienta antimagnética de titanio o herramienta anti-caída para trabajos en altura). En este tipo de productos o gamas de alto valor añadido ha conseguido posiciones de liderazgo, sobre todo **en mercados emergentes** con gran presencia de las industrias más sensibles a la seguridad, como son la petrolera, gasista y minera.

Por supuesto, en estos mercados se ha encontrado con una competencia feroz. Tradicionalmente los fabricantes estadounidenses dominaban el continente americano, los europeos (alemanes, franceses e italianos principalmente) Europa y Magreb, y todos competían en Medio Oriente y Asia. En la última década las dos principales multinacionales americanas del sector (Stanley-Black&Decker y Snap On) se han hecho con multitud de marcas y fábricas europeas, entre ellas algunas de las más importantes en Francia, Italia, Suecia, Inglaterra y España. Pues bien, para competir con estas grandes multinacionales que dominan el mercado su estrategia ha pivotado sobre estas líneas de actuación, algunas de las cuales han sido auténticas **ventajas competitivas**:

- Nichos de especialización como los citados.

- Mayor gama (como se verá posteriormente).

- Mejores plazos de entrega.

- Mejores ratios de servicio: mayor % de producto en stock disponible.

- Mayor agilidad y respuesta más rápida a las necesidades del cliente.

- Mayor orientación al cliente, comunicación más fluida (como se verá posteriormente).

- Interlocución estable y duradera en el tiempo. En las multinacionales los interlocutores y las estrategias cambian con mayor frecuencia que en las empresas familiares, sobre todo en esta época de fusiones, adquisiciones, desaparición de marcas, cierres, etc.

Desde hace veinte años hemos defendido públicamente[2] que *"la dimensión empresarial y los recursos disponibles serán los que establezcan como objetivo el liderazgo en el mercado o en un segmento del mismo. Esta es, por ejemplo, la decisión estratégica adoptada por la empresa navarra Viscofán (líder mundial de envolturas de plástico y colágeno no comestible, segunda en colágeno comestible y tercera en celulósicas) quien, a pesar de controlar el 20% del mercado mundial de su sector, sigue pensando que 'crecer en volumen sin tener en cuenta la rentabilidad a corto plazo, porque para poder competir en este negocio lo primero es estar entre los primeros en facturación' es la decisión estratégica más acertada –según declaraciones de D. Sixto Jiménez–.[3] Lo normal es que la PYME se tenga que conformar con ser líder de un segmento o nicho: aquel que haya identificado como su segmento estratégico. Pero no debe entenderse que esta decisión sólo es válida para la PYME.[4] Efectivamente, se podría que decir que, mientras que seguir una estrategia de concentración es algo que puede decidir cualquier empresa, ésa es una estrategia 'obligada' para cualquier PYME. De donde se deriva que lo normal es que este tipo de empresa debe buscar como objetivo de marketing ser líder de un segmento de mercado: aquel que, por las ventajas competitivas observadas en la fase de diagnóstico, debe constituir su segmento estratégico"*.

Acabamos de ver la coherencia de la decisión estratégica adoptada por EGA Master: ser líder mundial en nichos de mercado concretos altamente especializados, principalmente relacionados con la seguridad. Y un posicionamiento basado en la calidad de producto y de servicio, huyendo de la competencia en precios.

Por tanto, algunas de las claves que pueden responder a la pregunta que todos nos hacemos: ¿cómo es posible que una empresa familiar consiga en dos décadas llegar a los más recónditos lugares, alcanzar la más alta calidad y fabricar, incluso, para la propia competencia? No obstante, a nuestro juicio, la principal clave de éxito es que EGA Master tiene un **planteamiento estratégico innovador**, como intentamos mostrar en el apartado siguiente.

---

[2] Sainz de Vicuña (2014a) y ediciones anteriores (la primera data de 1995, que es de donde hemos copiado el texto en cursiva).

[3] Consejero delegado y director general del grupo Viscofán, a *Actualidad Económica* el 18 de julio de 1994.

[4] Por ejemplo, la mayor empresa mundial de transporte urgente, *Federal Express*, declaraba el 6 de febrero de 1995 a *Actualidad Económica*: "Creemos que es preferible ser los mejores en un único segmento del mercado, que una empresa mediana en todo".

5.2. Planteamiento estratégico innovador

La gestión exitosa de EGA Master ha sido muy comentada, durante los últimos años, en múltiples foros como un referente de gestión a seguir. Pues bien, a nuestro juicio, con su planteamiento estratégico innovador, EGA Master ha profundizado en su ADN y desarrollado una cultura corporativa totalmente propicia para la innovación y la internacionalización. Los siguientes puntos constituyen, a nuestra manera de ver, los pilares del planteamiento estratégico innovador de EGA Master.

5.2.1. Visión

Lo normal es que la misión sea más intemporal o estructural y la visión más coyuntural o temporal.[5] Declaraciones de este tipo encajan más en la definición de visión de la empresa que en la de misión. Es una muestra de la utilización indistinta que hacen algunas empresas de ambos conceptos.

A nuestro entender,[6] la visión de una empresa u organización es una expresión verbal y concisa de la imagen gráfica[7] que deseamos para la empresa en el futuro, que sirve para marcar en el presente el rumbo que debe seguir dicha organización ("*un ordenador en cada despacho y en cada hogar*", para Microsoft). Es, por tanto, lo que la empresa lucha por llegar a ser. Por ejemplo: "*Queremos que LBS sea la Escuela de Negocios internacional más importante y más respetada*", para la London Business School. Responde a la pregunta: **¿Qué queremos ser?** Aunque no se explicite la fecha en la que se desea alcanzar la visión, bien por la dificultad de fijar una fecha a una meta tan ambiciosa como la de LBS, o bien porque el tiempo pasa inexorablemente y deja caduca cualquier fecha por lejana que estuviera en el momento de su determinación.

En pocas palabras, la visión es un objetivo ambicioso a perseguir, mientras que la misión es algo que debe ser acometido: "*Nuestra misión* –declara la London Business School– *es transformar el porvenir de todas aquellas personas que se formen bajo la marca LBS*" y explicita su razón de ser.

Como se ha podido observar, las organizaciones no deben sentir pudor al establecer su fin último, fijando metas que, para muchos observadores y sobre todo para sus competidores, pudieran ser tildadas de utópicas: "*Seremos el productor de vinos de calidad más preeminente del mundo*" (Mondavi).

---

[5] En la siguiente declaración del presidente Kennedy, hay rasgos de lo que hoy llamamos visión: "*Este país debe comprometerse a alcanzar el objetivo antes de que termine esta década...*".

[6] Autores como Collins, J.C. y Porras, J.I. (1997): "*Building your company's vision*", HBR, págs. 65-77, defienden que "*una visión bien concebida tiene dos componentes importantes: una ideología clave (que incluye los valores dominantes y el propósito fundamental) y el futuro visionado (que abarca un objetivo a 10-30 años y una descripción gráfica del resultado de conseguir dicho objetivo)*".

[7] "*Que un hombre ponga sus pies en la luna...*".

Pues bien, tampoco a Iñaki Garmendia le tembló el pulso al definir su visión de la siguiente manera: *"Que EGA Master sea el fabricante de herramientas de mano industriales más dinámico, internacionalizado e innovador del mundo"*.

5.2.2. Programa

Definida su visión, nuestro empresario supo poner en marcha un proyecto basado en un ambicioso programa, asentado en el profundo y acertado desarrollo de cuatro líneas de acción básicas: **innovación, internacionalización, orientación total al cliente** y aplicación del modelo productivo conocido como **integración horizontal,** pionero en el sector de herramientas de mano. De todo ello se da muestras a lo largo del capítulo.[8]

5.2.3. Equipo, compromiso y trabajo como rasgos de su cultura corporativa (ADN)

La cultura corporativa ha sido definida de diferentes maneras, incorporando aspectos como la *filosofía* empresarial, los *valores* dominantes en la organización, el ambiente o *clima* empresarial, las *normas* que rigen los grupos de trabajo en la empresa, las reglas de juego, las *tradiciones* y los *comportamientos organizativos*.

Suelen ser las empresas con culturas sólidas (como la Corporación Mondragón, McDonald's, General Electric o Johnson & Johnson) las que no se avergüenzan de coleccionar y narrar historias, anécdotas y leyendas que den claras muestras de su cultura corporativa o de las creencias y principios sobre las que se basa.[9]

Un detalle muy concreto que suele marcar claras diferencias entre las culturas corporativas de las empresas, es la prelación que se da a los diferentes grupos de interés o de referencia (*stakeholders*). Así, mientras que para la mayoría de las organizaciones los accionistas son los primeros, en las cooperativas de Mondragón o en empresas tan diversas como Johnson & Johnson y Mercadona no lo son. En efecto, en Johnson & Johnson *"los clientes están en primer lugar, los empleados en segundo, la compañía en tercero y los accionistas en cuarto"*, y en Mercadona *"lo primero es el cliente, que es el jefe, después los trabajadores, los proveedores, la sociedad y, en último lugar, el capital"*.

Pues bien, en el caso de EGA Master, para desarrollar ese **programa** Iñaki supo rodearse de un **equipo** potente,[10] de alta cualificación y, a la vez, motivado. Contaba,

---

[8] Como se puede comprobar, EGA Master ha hecho uso de las líneas de actuación que recomendamos en el gráfico 1.1 para actuar en un entorno tan exigente como el que vivimos desde hace años. En este punto aparecen algunas de ellas, pero en las próximas páginas aparecerá el resto.

[9] En este sentido, es encomiable la labor que José Mª Ormaechea ha hecho con sus publicaciones sobre la Corporación Mondragón.

[10] Nuevas líneas de actuación de EGA Master que muestran que ha hecho uso de las que recomendamos en el gráfico 1.1.

además, con un plus adicional de rica experiencia. Un equipo dotado de singular talento, tanto en la Dirección como en cada uno de los puestos en los que se basa el desarrollo de la empresa. Por supuesto, con **trabajo**. O mejor expresado, trabajo + trabajo + trabajo. Porque, por muy feliz que sea una idea, por muy ambiciosa que sea la visión, por muy brillante que sea el programa para desarrollarla, al confrontar todo ello con un entorno global, sometido a intensa presión competitiva, y en régimen de mercado abierto, es imposible lograr el éxito de una proyecto empresarial sin impulsarlo, día a día, con un esfuerzo muy intenso y mantenido con fe, como ha hecho EGA Master.

Por tanto, como en casi todos los órdenes de la vida,[11] lo imprescindible en una empresa es una determinada **cultura corporativa** que propicie no sólo la innovación sino también el éxito en la misma. Nuestra experiencia nos dice que, aunque sea incapaz de citar los ingredientes necesarios en una "cultura corporativa adecuada para la innovación exitosa", en la cultura corporativa de EGA Master estaban claramente "somatizados" algunos de los principales:

- Empresa **basada en las personas**.

- **Comprometidas** con la empresa y con su cultura de **orientación al cliente**.

- En la que **se trabaja en equipo** aportando ideas. Que trata de conseguir siempre la máxima competencia profesional.

- Donde la **participación en la gestión** es "*de los pies a la cabeza*" y no una mera declaración de intenciones.

- En la que la **innovación**, la cooperación, la adquisición y el compartimiento de los conocimientos se da en un marco de comunicación, libertad y responsabilidad.

- Y donde **se fomenta y gestiona el cambio**, tomando iniciativas y riesgos, confiando en los demás y mereciendo su confianza, por lo que resulta más fácil compartir ideas y experiencias.[12]

5.2.4. Estrategia de integración horizontal en vez de vertical

Tradicionalmente, la industria mundial de la herramienta de mano, al igual que muchos otros sectores industriales, como modelo productivo ha estado integrada muy verticalmente; es decir, basada en un sistema por el que las empresas realizaban con medios propios todos los procesos productivos, de principio a fin, relacionados con la manufactura de su producto. De esta forma, fases como la fundición, forja, mecanización, tratamientos términos o recubrimientos galvánicos se concentraban en manos de una empresa que no concebía ninguna otra fórmula alternativa de fabricación.

---

[11] Al menos, yo he tenido la oportunidad de constatarlo en el económico, que es mi área de conocimiento.

[12] Nuevos rasgos de la cultura corporativa de EGA Master que muestran sintonía con la que defendemos en el capítulo 7 del libro.

Este modelo de integración vertical contaba con una serie de desventajas importantes, por lo que, para cuando nació EGA Master, era ya un hecho probado que el sistema de fabricación tradicional o integración vertical tenía los años contados. Las primeras industrias que se destacaron precisamente por lo contrario, por una integración horizontal, fueron las industrias del automóvil y la aeronáutica, como paradigmas de la industria más avanzada y moderna, y son las que han venido sirviendo como referentes a otros sectores industriales. Se trata de un modelo en el que el fabricante se centra en sus puntos fuertes, en aquellos eslabones clave y de mayor relevancia, mientras que al mismo tiempo opta por subcontratar a especialistas punteros el resto de los pasos de la larguísima cadena de valor, como pueden ser la producción de partes, piezas, componentes o procesos que requieren un grado de especialización elevado.

La experiencia de las dos últimas décadas ha demostrado que la fabricación innovadora o integración horizontal requiere inversiones mínimas en bienes de equipo. Hoy es imposible ser con medios propios el mejor en todas las tecnologías que se aplican en la fabricación de la herramienta de mano. Incluso es impensable ser muy bueno y competitivo en todas ellas. Pero sí es perfectamente factible, y por tanto alcanzable, seleccionar al mejor en cada una de las tecnologías implicadas, subcontratarlas y disponer de ellas. Además es un hecho ya probado que la integración horizontal es fácilmente susceptible al cambio, favorece la competencia entre subcontratistas, facilita el lanzamiento de nuevos productos, reporta gran flexibilidad, agilidad y competitividad, y garantiza una capacidad ilimitada de crecimiento.

5.2.5. Actitud innovadora

Desde hace años hemos defendido[13] que la innovación es cuestión de actitudes: uno de los requisitos imprescindibles para el éxito en la innovación es que todas las personas que participen en la innovación tengan una actitud abierta y crítica. Ello supone mantener una **mentalidad crítica** y una **mentalidad abierta al cambio**.

El germen de la innovación estaba en EGA Master desde su fundación y su objetivo primigenio era diferenciarse del resto de la oferta del mercado, buscar el valor añadido y lograr una variable distinta del precio final. Con otras palabras, convertir el precio en una variable secundaria.[14]

Pues bien, todo ello requería grandes dosis de actitud innovadora:

- En la concepción de los productos: I+D, nuevas patentes, nuevas prestaciones, desarrollo ergonómico, experimentación de nuevos materiales, acabados originales y modo de presentación del propio producto en los puntos de venta.

---

[13] Sainz de Vicuña (2006), págs. 89 a 100.
[14] Como señalaron CHAN, K. W. y MAUBORGNE, R. en 2005 en su libro *"La estrategia del océano azul. Cómo crear en el mercado espacios no disputados en los que la competencia sea irrelevante."*

- En el servicio integral que se ofrece al mercado y, por supuesto, en los procesos internos que convierten a las empresas en organizaciones más dinámicas, adaptables y eficientes.

- Innovación en el servicio, hasta llegar a la personalización de los productos *prêt à porter,* cumpliendo con las tendencias e incluso adelantándose a sus expectativas, y todo ello sin exigir nada a cambio, ni coste adicional, ni cantidad mínima alguna, y aplicando el mismo plazo de entrega.

- Innovación en la estrategia de marketing, priorizando en todo momento el crecimiento en la exportación, en la medida en que la globalización del mercado es una inagotable fuente generadora de información, conocimiento, mejora continua y competitividad.

- También cabe innovar como resultado de los intercambios dentro de la red relacional de los distintos departamentos de las empresas.

- La innovación es ante todo una filosofía de actuación que afecta incluso a la misma organización interna.

Para EGA Master, la innovación no consiste en invertir en I+D para adquirir conocimiento y dar con brillantes ideas o inventos, sino en convertir ese conocimiento en valor, explotándolo industrial y comercialmente, obteniendo así el mejor rendimiento. Son de la opinión de que "zapatero a sus zapatos", partiendo de que cada uno debe explotar sus propios puntos fuertes y valerse de aquellos que atesoren los demás. Y obtener así, por añadidura, una mayor diferenciación, flexibilidad, agilidad, conocimientos, rendimiento y, consecuentemente, competitividad. EGA Master adopta esta decisión *contraviniendo el conocido refrán de que "no conviene poner todos los huevos en la misma cesta". Pero son tantas las complicaciones que la diversificación causa a la dirección general de este tipo de empresas (por ejemplo, distrayéndola con una gestión de negocios en absoluto relacionados entre sí, u ocupándose de las correspondientes inversiones y desinversiones), haciéndoles perder de vista cuál es la fuente real de beneficios de la empresa y cuáles son sus problemas básicos (cómo obtener una ventaja competitiva sostenible en los negocios en que compite la empresa), que es más conveniente seguir este otro refrán: "zapatero a tus zapatos".*[15]

5.2.6. Internacionalización antes que "nacionalización"

EGA Master renunció desde sus inicios a basar su estrategia comercial en el mercado europeo en general y en el español en particular. Penalizó el resultado inmediato y la recogida de una cosecha cercana y rápida, a favor de extender el plazo de retorno,

---

[15] Sainz de Vicuña (2014a) y ediciones anteriores (la primera data de 1995, que es de donde hemos copiado el texto en cursiva).

primando el establecimiento de sólidas bases para lograr un crecimiento estable, diversificado y sostenido en el tiempo.

Esta clara apuesta por la internacionalización fue acompañada de la adopción de decisiones estratégicas. En efecto, como **objetivo estratégico**, dedicar a la exportación un mínimo del 80% de sus ventas totales, que ningún mercado o país supusiera más del 15% de las mismas y que los pedidos de ningún cliente representaran más del 5% de la ventas totales (...).[16]

Algunos pensamientos que ilustran su **estrategia de internacionalización** son:

- Su satisfacción de encontrar **producto propio** en los más remotos rincones de la Tierra es inenarrable, haciendo realidad la "aldea global" que Marshall McLuhan acuñó en 1962.

- La globalización de la exportación activa al menos tres mecanismos de **mejora de competitividad sostenible**: una insustituible fuente generadora de aprendizaje y mejora continua; el hecho de contar con distribuidores globalmente instalados proporciona, además, antenas, radares y puntos de observación repartidos por todo el mundo; diversificar el riesgo ofrece un grado de protección importante, incluso ante la más acentuada crisis.

- La **internacionalización de los procesos productivos**, la multilocalización internacional buscando en cada caso el lugar ideal para cada eslabón de la cadena de valor y **centrarse en los procesos de mayor valor añadido**, aquellos que requieren un grado superior de especialización y conocimiento.

- La internacionalización no es solo una apuesta por la ampliación del mercado, sino algo mucho más global, toda una **estrategia para repartir los riesgos y disminuir la afección local**. La internacionalización es también información instantánea del mercado, manantial de conocimiento, actuaciones, tendencias y expectativas, así como impulsor y facilitador de la competitividad.

- **Innovación e internacionalización** son dos conceptos estratégicos que están estrechamente relacionados.[17] Las empresas poco innovadoras difícilmente van a conseguir internacionalizarse. Así mismo las empresas poco internacionalizadas mal van a encontrar el caldo de cultivo necesario para ser tan innovadoras como aquellas que sí lo son. Con estos dos pilares estratégicos EGA Master ha conseguido durante la crisis de 2008-2013 los mejores resultados de su historia. Pero, además, son de la opinión de que serán siempre estrategias esenciales para ser competitivos de forma sostenible, obligaciones irrenunciables para las empresas del siglo XXI.

---

[16] En la actualidad, el 40% de las exportaciones tienen como destino los países emergentes, donde la demanda es creciente y la competencia más restringida.

[17] En 2013 publicamos el libro "Internacionalización e innovación de la empresa", defendiendo los mismos postulados que EGA Master.

5.2.7. Orientación al cliente: incorporación de la voz del cliente desde el inicio del proceso

Otro de los valores troncales de EGA Master se basa en la firme decisión, como estrategia medular del conjunto de la empresa, de "**vivir al cliente**",[18] de orientar toda la organización al objetivo de satisfacer mejor sus necesidades, centrándose en seducir y persuadir para convencer.

Lograr la plena satisfacción del cliente es para ellos una forma más de añadir valor a su negocio, con el fin de disponer de una oferta cada vez más integral que satisfaga todas las necesidades de la industria y de los profesionales, incrementando el nivel de servicio ofrecido. Así consiguen la implicación de sus propios clientes. En línea con la estrategia de conocer, servir y añadir valor al cliente, promueven proyectos de desarrollo y colaboración conjuntos, a fin de comprender y satisfacer sus necesidades, favoreciendo a su vez la innovación y mejora de sus productos.

Se implican de manera proactiva con los clientes para debatir y abordar sus intereses y preocupaciones, traduciendo al lenguaje interno de la empresa todas sus aspiraciones y logrando de esta manera una empresa totalmente orientada hacia el cliente. Para ello mantienen una política de contactos personales permanente y participación activa en la relación y comunicación con el mercado, promoviendo y realizando planes de visitas y ferias de forma conjunta, así como a través de una política de puertas abiertas, haciéndoles partícipes de sus planes, realizando gradualmente encuestas de satisfacción del cliente externo y un reconocimiento público a sus diez mejores clientes (a los más implicados en el proyecto común), haciéndoles entrega del "EGA de Oro" en un emotivo acto público.

5.2.8. Auténtica responsabilidad social y apuesta por el factor humano

EGA Master es de la opinión de que:

• Un negocio que se pretenda sostenible en el tiempo se comprometerá activamente en la generación de empleo y riqueza en la sociedad, en general, y en el entorno más próximo, en particular. Intentará favorecer el incremento de su volumen de compras a proveedores vecinos, desarrollará una red de suministradores cercanos y suscitará la creación de empleo indirecto en su ámbito vital más propio.

• Una organización que tiene presente el futuro facilitará la incorporación al mundo laboral de los jóvenes y tratará de ofrecerles la primera oportunidad de trabajo. Por la misma razón favorecerá una auténtica política de igualdad de oportunidades, tanto respecto al sexo como al origen de los jóvenes, fomentará su formación dentro de la propia empresa y primará su ascenso a cargos de responsabilidad

---

[18] Postulado defendido por este autor desde hace años. Por ejemplo, vid. Sainz de Vicuña (2006), pág. 208.

prevaleciendo la promoción interna sobre la contratación externa. En consecuencia, esta empresa cuenta con un colectivo joven, cuya media de edad es inferior a 31 años, con mayoría de mujeres, donde el 21% de los trabajadores es de otras nacionalidades, y que es capaz de comunicarse con el mercado en diecisiete idiomas.

- En relación al mercado, la responsabilidad empresarial es algo más que elaborar un producto de calidad que satisfaga a los clientes a un precio competitivo, que no es poco. Se trata, además, de "vivir al cliente", de interiorizarlo, de sentirlo como propio, de priorizarlo y personalizarlo, de seducirle, de estar a la altura de sus expectativas, por muy altas que sean, y hasta de adelantarse a ellas.

- Finalmente, la responsabilidad respecto al conjunto de la sociedad circundante debe tener más que ver con la filosofía de enseñar a pescar que de dar pescado. Sin poner en duda la bondad de determinar ayudas y contribuciones, una empresa líder debe mantener una política de puertas abiertas, ser trasparente, mostrar su saber hacer, compartir conocimiento, irradiar compromiso y, en definitiva, garantizar la mutua trasferencia de información que contribuya al cambio y concilie el desarrollo social con el aumento de la competitividad.

Por ello, su apuesta por implementar un modelo de responsabilidad social empresarial, lejos de suponer un costo añadido, significa para EGA Master una inversión con excelentes resultados en la motivación de los empleados, mayor confianza de los clientes, reputación corporativa más relevante y mejora del posicionamiento tanto en el mercado como en la sociedad. Es, en definitiva, una inversión y, por su experiencia, una inversión muy rentable.

5.2.9. Continuidad generacional en la empresa familiar

Para que una empresa llegue a ser merecedora de un premio relativo al mejor relevo generacional,[19] es preciso sin duda que haya sido capaz de realizar con éxito y de forma modélica el traspaso de poderes intergeneracional, como es el caso de Aner e Iñaki en EGA Master.

Aner Garmendia, un comercial como máximo ejecutivo (director general)

En 1997, tras cinco años en USA y cuatro en Asia, Aner se encontró de pronto en su nuevo despacho de EGA Master. Un despacho que, dieciocho años más tarde, sigue tan abierto al mundo como el primer día, aplicando en la empresa todo aquello que le había deslumbrado en el continente asiático. Por ejemplo:

- La **orientación al cliente**, ofreciendo confianza, generando empatía y facilitando la mutua comunicación.

- El negocio será o no posible, pero nunca lo será si no hay **confianza** entre las partes. Es fundamental que el cliente vea al proveedor con buenos ojos, no como

---

[19] Ni más ni menos que el de la Asociación de Jóvenes Empresarios, en 2010.

un extraño, un extranjero. La bondad del producto y la excelencia del producto se dan por hechos, de lo que se trata es de acertar a presentarse como el otro puede esperar y de explicarse como el otro puede llegar a entender.

- **Es difícil pensar en cómo actuar en mercados que no conoces**.

- Una **posición no binaria respecto al mundo**.

Iñaki Garmendia junior, director gerente

Con apenas 24 años se enfrenta al desafío personal de llegar a crear una empresa en China. Y diez años más tarde se responsabiliza en la sede de EGA Master de las áreas de proveedores, compras, ingeniería, fabricación, informática y gestión general, mientras que Aner responde de las ventas, calidad de gestión, finanzas y recursos humanos.

De esta forma, en apenas tres décadas, el proyecto empresarial liderado por Iñaki Garmendia senior ha pasado, sin solución de continuidad, de dedicarse mayormente a la herramienta convencional con su primera empresa (Admarket), a saltar al mundo de la fabricación con la creación de EGA Master y, con ella, del ámbito doméstico al internacional, así como de pasar de suministrar al mercado industrial de los pequeños profesionales (fontaneros, constructores, instaladores…), a convertirse en el proveedor de referencia de grandes corporaciones internacionales, con especial dedicación a la herramienta industrial de alto contenido tecnológico, para pasar finalmente a desarrollar más tarde la herramienta de máxima especialización y plena seguridad: la herramienta y equipos intrínsecamente seguros. Es el momento crucial y la aportación personal de Iñaki Garmendia junior.

5.2.10. Creencia de que se puede construir el futuro

Hablar de lo que vaya a poder pasar en los próximos veinte, treinta o cuarenta años se nos antoja en la práctica como muy lejano y aventurado. Con mayor o menor escepticismo asentimos ante las propuestas de cambio que se nos auguran,[20] pero apenas reaccionamos. Sin embargo, todo apunta a que los cambios van a ser aún más duros de lo que somos capaces de imaginar.

Por ello, en EGA Master se piensa que toda estrategia empresarial va a requerir grandes dosis de credibilidad, honestidad, naturalidad, visión, reflexión y capacidad de observación. Y que **el conocimiento del mercado pasa inexcusablemente por saber interpretar sus necesidades a tiempo, por anticiparse a sus requerimientos**.[21]

El gran desafío que tienen Aner e Iñaki (con su equipo) consiste y consistirá en adelantarse a la competencia. Adelantarse en innovación, multilocalización, implicación del equipo humano y orientación al cliente. Un desafío que no tiene fin.

---

[20] Como venimos señalando en los últimos libros publicados, el día que nos convenzamos de que Europa y Occidente no son el centro del mundo, quizá nos decidamos a cambiar.

[21] De ahí que lo realmente importante para el vendedor, además de saber escuchar, es saber interpretar lo que el comprador no termina de decir o se calla expresamente.

Pero tanto Aner como Iñaki tienen claro que se puede construir el futuro y que, para ello, el pensamiento estratégico es fundamental.[22]

5.3. EGA Master en 2015

Surgida en su día como especialista en herramienta para tubo, EGA Master ha ido adoptando con éxito un proceso de diversificación de productos hasta llegar a las más de 20.000 referencias actuales. Con ellas da servicio a las industrias más exigentes –como las del automóvil, aeronáutica, naval, petróleo, gas o minería–, convirtiéndose en el único fabricante de herramientas del mundo que ofrece una solución integral con diez gamas de alta innovación: herramienta para tubo, herramienta subacuática, general para mecánica, antichispa, antimagnética de titanio, electrodisipativa ESD, herramienta aislada a mil voltios, herramienta anticaída, sistema de control de herramientas y equipos e instrumentos anti-explosión intrínsecamente seguros con certificación ATEX.

EGA Master fabrica tanto para el canal de distribución industrial como para otros colegas fabricantes de herramientas a los que complementa su gama de producto. Además de su propia marca, lo hace también OEM (con la marca del cliente) para otro centenar de fabricantes competidores y/o distribuidores marquistas de gran prestigio de los cinco continentes, a los que ofrece la posibilidad de tener un producto personalizado. De esta forma, se ha convertido en el único fabricante del sector con capacidad para fabricar a los clientes cualquier artículo de su catálogo con la marca propia de cada uno de ellos, sin cantidad mínima alguna, sin coste adicional y sin variación del plazo de entrega. Además, todas las herramientas nacen con garantía ilimitada, de por vida.

Los siguientes son **algunos rasgos de su situación en 2015**:

- Su facturación total en el ejercicio anterior ha sido de 21,3 millones de €. El porcentaje de ventas exteriores ha sido del 86%.

- Personal de la empresa: 106 personas. No precisa de personal dedicado a la "internacionalización", porque de forma directa o indirecta prácticamente todos estan dedicados a la internacionalización. Lo que sí tienen es personal dedicado exclusivamente a mercados y clientes internacionales, repartidos de la siguiente forma: 11 *"Customer relationship managers"*, que se encargan de dar servicio a los clientes desde nuestras oficinas de Vitoria; 7 directores de venta de zona internacionales, y un director comercial y de marketing.

- Ha sido la única empresa del sector en nuestro país sin un solo día de ERE durante la crisis, que ha creado empleo durante estos últimos ocho años y con record histórico de ventas en 2013 (cifra que ha repetido en 2014).

---

[22] Como defendemos en los libros de planificación (Sainz de Vicuña, 2014a y 2015), así como en el capítulo 1 y 7 de este mismo libro.

- Es líder destacada en exportación, con filiales en Australia, Singapur, India, Italia, Francia, Bélgica, Alemania, Brasil y México y distribuidores en los cinco continentes. Exporta cerca del 90% de su producción a más de 150 países de los cinco continentes y el 40% de sus ventas se destina a los mercados emergentes. De este modo, EGA Master es la empresa del sector que traslada el más alto nivel tecnológico e innovador a mayor número de países.

- Para hacer realidad su visión, ha enfatizado la búsqueda de representantes (agentes comerciales) y distribuidores en distintos países mediante ferias, misiones comerciales y viajes, así como la firma de acuerdos de representación y distribución.

- Su firme apuesta por la innovación le ha permitido desarrollar cerca de 200 patentes[23] como consecuencia de una inversión en I+D+i del 7%, cinco veces superior a la media del sector.

- Fruto de esta firme y fuerte apuesta es, entre muchas innovaciones, la Llave Alavesa o *Basque Wrench*, mundialmente patentada, la herramienta más premiada de la historia, y que incluso ha sido la única que ha merecido ser expuesta en el Círculo de Bellas Artes de Madrid, como ejemplo de utilidad en el diseño.

- Desde su adopción del Modelo Europeo de Excelencia EFQM, EGA Master ha desarrollado un sistema de gestión horizontal, con la construcción de un proyecto común basado en las personas. Ello le valió en el año 2000 el reconocimiento europeo Q de Oro de EFQM, el Premio Europeo a la Mejor Práctica en Innovación, el Premio Oro Iberoamericano a la Calidad y los Premios Príncipe Felipe a la Competitividad e Internacionalización, entre otros.

5.4. Resumen

EGA Master es una empresa vasca dedicada desde 1990 a la concepción, diseño y fabricación de equipos y herramientas de mano de alta calidad para uso industrial - profesional, así como instrumentos de seguridad altamente especializados y es hoy marca de referencia mundial en el sector.

Su proyecto se ha asentado en cuatro pilares: la *innovación*, como fuente de generación de valor añadido, partiendo del convencimiento de que un presente, por espléndido que sea, lleva siempre impresa la huella de su caducidad; la *internacionalización*, base de sus modelos de negocio, es manantial de información y elemento clave de aprendizaje, mejora continua y diversificación; la *orientación total al cliente,* para añadir valor a su negocio, adelantarse a sus necesidades e incluso a sus expectativas, y lograr así su total satisfacción; y en la trastienda, un *equipo humano* joven, creativo, bien formado,

---

[23] Varias de ellas de ámbito mundial.

ilusionado con el proyecto y comprometido con sus valores. Y todo ello aplicando, por primera vez en el sector, la *integración horizontal* como modelo productivo.

No ha necesitado un "plan de internacionalización" porque –a diferencia de casi todas las empresas que primero tienen un desarrollo local o regional, luego nacional y finalmente internacional– EGA Master apostó desde su creación por los mercados internacionales, por lo que su *Business Plan*, desde el inicio, fue internacional. Su modelo de negocio ha sido y es internacional.[24] Es más, en sus inicios descartó el mercado nacional para centrarse en exclusiva en los mercados internacionales, con un triple objetivo:

- Buscar en los mercados internacionales la fuente de inspiración, de aprendizaje y de mejora continua, activando en esos entornos hostiles los mecanismos de adaptación y evolución que la convirtieran en empresa sostenible y competitiva globalmente.

- Anticipar tendencias.

- Y diversificar riesgos.

Lo que sí ha necesitado EGA Master es un plan de *nacionalización*: una vez alcanzado cierto nivel de desarrollo en los mercados internacionales, se planteó un plan de implantación en el mercado nacional. Eso sí, estableciendo siempre un mínimo del 70% de exportación para no depender en ningún caso de forma excesiva de un único mercado.[25] Tampoco ha querido que ningún mercado de exportación supusiera más del 15% de las ventas totales. Apuesta fundamentalmente por priorizar los mercados emergentes[26] sobre los desarrollados.

Es uno de los líderes mundiales del sector, presente tanto en los mercados más exigentes como en los de mayor crecimiento actual y futuro en los cinco continentes, y está sensibilizada, concienciada y especializada en medio ambiente, seguridad y otros ámbitos que año tras año vienen adquiriendo mayor importancia estratégica a todos los efectos. Y todo esto lo ha conseguido una PYME familiar en solo dos décadas, llegando a los más recónditos lugares del globo, alcanzando los más altos estándares de calidad, codeándose con los mejores del sector e incluso fabricando para la propia competencia.

A nuestro juicio, EGA Master –como defendemos en el apartado 2 de este capítulo– ha seguido un planteamiento estratégico innovador (sobre todo en cuanto al modelo de negocio, a su estrategia de internacionalización y a la estrategia de integración horizontal en vez de vertical),[27] y ha sido totalmente "ortodoxa" en la mayor parte de sus planteamientos estratégicos.[28]

---

[24] En palabras de Aner, en esto han sido diferentes al resto de empresas.

[25] En este caso el nacional.

[26] A día de hoy los mercados emergentes suponen más del 60% de nuestra venta total.

[27] Estrategia seguida por la mayoría de las empresas.

[28] Por eso, desde que el 4 de diciembre de 2014 tuve el placer de escuchar una conferencia de Aner Garmendia en Donostia (San Sebastián) sobre EGA Master, me sedujo la idea de mostrar su caso en este libro porque había una sintonía total con los planteamientos que este autor viene defendiendo desde hace años. De ahí que nos parezca un "caso de libro". Zorionak, EGA Master!

Capítulo 6

Internacionalización de Nire iHealth

6.1. Nacimiento, en 2013, de una *start up*

6.2. Planteamiento estratégico inicial

6.3. Plan de negocio global

6.4. Nire iHealth en 2015

6.5. Resumen

"Hay una fuerza motriz más poderosa que el vapor, la electricidad y la energía atómica: la voluntad".

Albert Einstein

6.1. Nacimiento, en 2013, de una *start up*

En marzo de 2012 concluimos el Plan Estratégico 2012-2014 de Etxekide,[1] en el que una de las recomendaciones que, de vez en cuando, me recuerda su presidente es innovar de forma que Etxekide sea más escalable de lo que era en esos momentos.

Pues bien, a finales de noviembre de 2013, el presidente de Etxekide me llamó para compartir el desarrollo innovador que, desde la Fundación Etxekide, habían estado trabajando durante año y medio para conseguir algo "más escalable". La nueva actividad me resultó tan disruptiva y atractiva que me mostré interesando en participar en ella

---

[1] Empresa cuyo presidente es Txema Arízaga, que tiene como misión *"mejorar la calidad de vida de las personas, mediante la asistencia personal, a través de la innovación social y la excelencia, beneficiando a las personas de Etxekide y a la comunidad"*, y cuya visión es *"ser reconocidos internacionalmente en la gestión innovadora de la asistencia personal privada a las personas"*.

y, una vez constituida la *start up* por los promotores,[2] tuve el honor de ser su primer *business angel*.

En consecuencia, en este capítulo mostramos una *start up* reciente (Nire iHealth, en adelante Nire) que, como veremos, nace con la pretensión de convertirse en pocos años en una empresa global.

¿Qué es Nire iHealth?

Nire es una *start up* bilbaína que ha lanzado al mercado una aplicación móvil para la auto-gestión de la salud basada en la prevención. Nire ayuda a sus usuarios a mejorar su salud mediante la prevención y la promoción de la adopción de estilos de vida saludables. Cualquier *wearable* existente en el mercado se puede conectar con Nire o sincronizarse a través de Google Fit o de Apple Health Kit.

Es de todos conocido que, en la actualidad, la prevención de la salud se promueve pero no se gestiona de una manera interrelacionada. Solo se gestiona la enfermedad. Por ello se entendió que un factor clave de éxito de este mercado era crear un producto lo suficientemente sencillo de usar, a un precio asequible y que pudiera ser escalable, manteniendo la fiabilidad y las garantías de un servicio de salud. Se conseguiría estar en "un océano azul".

Se trata de una plataforma digital que, mediante un algoritmo propio, recomienda propuestas nutricionales personalizadas y de actividad física, integrando servicios de terceros, combinando lo real con lo virtual, y que ayuda a los usuarios de una manera sencilla y segura a mejorar su calidad de vida. Y, aunque parezca poco creíble, se trata de la primera *app* mundial capaz de ayudar a sus usuarios a autogestionar su salud, ofreciéndoles un plan de salud personalizado.

Sus principales **ventajas** o aportaciones para sus usuarios son: les capacita a prevenir el desarrollo de enfermedades o, al menos, a mantenerlas bajo control; les facilita el cuidado de su salud; les permite extender al resto de miembros del hogar su actitud positiva hacia el cuidado de la salud e integra soluciones de salud digital (*"one-stop shopping"*).

Nire **funciona** de la siguiente forma: primero define un perfil de usuario en base a sus indicadores de riesgo y sus objetivos personales (lo hace rellenando un cuestionario, aportando su historial clínico y/o recogiendo y tratando los indicadores registrados por *wearables* o cualquier otro tipo de fuente), le proporciona un plan adaptado a su perfil (en cuanto dieta, menú y lista de la compra; actividad y ejercicios a desarrollar; seguimiento del tratamiento y consejos y apoyo emocional) y, por supuesto, hace un seguimiento permanente del estado del usuario, actualizando y adaptando su plan.

Nire caracteriza, almacena, recomienda y controla todos los parámetros que ayudan a una persona a la prevención de su salud (datos biométricos como índices de glucosa,

---

[2] El 26 de diciembre de 2013 los promotores constituyen Nire iHealth, siendo su presidente Txema Arízaga.

colesterol, tensión, peso, índice de coagulación, tratamientos, etc.) e integra soluciones de terceros (como análisis clínicos en domicilio, rehabilitación virtual Kinect, *personal assistants*, lista de la compra a casa, análisis nutrigenéticos, catering a domicilio, etc.).

Dado el objeto social de Nire, el personal de nutrición y de actividad física es clave, ya que son estos profesionales quienes construyen todas las variaciones en cuanto a dietas, intolerancias alimentarias y riesgos por alergias, entre otros, y diseñan las actividades físicas para cada usuario, de forma que la *app* sea capaz de discernir cuáles tiene que ofrecer a cada usuario.

Los crónicos constituyen su **principal target** y la competencia actual está atomizada y no estructurada:

- El **mercado objetivo** es el de la prevención y la gestión de los crónicos, considerando como *early adopters* a los crónicos tecnológicamente competentes. Se trata de un mercado muy incipiente que tiene un potencial de crecimiento muy grande. De hecho, en estos momentos las *wearables technologies* te proporcionan un dato pero no te proponen nada, por lo que Nire se convierte en la inteligencia de los "cuantificadores".

- La **competencia** actual son los sistemas tradicionales de gestión de las diferentes áreas de la prevención, los servicios médicos, los gimnasios y los nutricionistas (tanto reales como digitales: *webs*, *apps*, etc.). Son servicios independientes, que debe combinar cada usuario, ya que no se interrelacionan entre sí. Es el usuario quien debe interactuar entre ellos para poder llevar a cabo esta tarea.

- El modelo de integración de servicios de terceros requiere una **tecnología** específica y de momento la tecnología Nire es única en el mundo. Esta tecnología requiere una constante evolución y una experiencia basada en las métricas que solo Nire tiene y es básica para mejorar el modelo de negocio.

- Al ser **pionera**, Nire tiene posibilidad de conseguir contratos con los principales canales, que le pueden garantizar un número de usuarios mayor que la competencia. Y, por supuesto, la velocidad de expansión es importante para cerrar el mayor número de contratos. Pero se es consciente de que el tiempo que tiene para aprovechar esta innovación tecnológica es corto porque, seguramente, alguien en cualquier parte del mundo estará desarrollando una aplicación igual o mejor que la de Nire iHealth.

En **resumen**, Nire es una plataforma digital que mediante un algoritmo propio recomienda propuestas personalizadas nutricionales y de actividad física, así como control de tratamientos, integrando servicios de terceros y combinando lo real con lo virtual, que ayuda de una manera sencilla y segura a mejorar la calidad de vida de su usuario.

En febrero de 2014, Nire definió su primer **plan de negocio** del que hemos extraído los cuadros 6.1 (hitos y plazos para 2014), 6.2 (desarrollo y fases del producto Nire) y 6.3 (*lean canvas*).

CUADRO 6.1.

EL PRIMER BUSINESS PLAN DE NIRE MARCABA LOS SIGUIENTES HITOS Y PLAZOS PARA 2014

	ACCIÓN	CANALES	ENERO	FEBRERO	MARZO	ABRIL	MAYO	JUNIO	JULIO	AGOSTO	SEPTIEMBRE	OCTUBRE	NOVIEMBRE	DICIEMBRE
CANALES Para cada canal piloto, se estima un periodo de tres meses para determinar el alcance y el potencial del canal y una fase validación del canal de seis meses para lograr los 200.000 usuarios por canal.	CIERRE PRIMER CANAL													
	FASE DE PRUEVAS CANAL 1	PRIMAFARMA												
	FASE DE DESARROLLO PILOTO CANAL 1													
	CIERRE 2º CANAL	TELCO												
	FASE DE PRUEVAS CANAL 2													
	FASE DE DESARROLLO PILOTO CANAL													
	CIERRE 3º CANAL	CENTROS SANITARIOS												
	FASE DE PRUEVAS CANAL 3													
	FASE DE DESARROLLO PILOTO CANAL 3													
	CIERRE 4 CANAL	SERVCIOS DE SALUD PRIVADOS												
	FASE DE PRUEVAS CANAL 4													
	FASE DE DESARROLLO PILOTO CANAL 4													
	CIERRE 5º CANAL	SERVICIOS DE SALUD PÚBLICOS												
	FASE DE PRUEVAS CANAL 5													
	FASE DE DESARROLLO PILOTO CANAL 5													
	Pendientes	Claro, Sanitas, Euskaltel, Mutualia, Gimnasios, Clínicas privadas, hospitales publicos												
FINANCIACIÓN	RONDA SEED	ESTADO, O LATAM												
	RONDA A	USA												
INDICADORES	USUARIOS	Nº DE USUARIOS FREE DE LA APLICACIÓN	500	1000	2000	5000	10000	20000	40000	60000	120000	240000	500000	1000000
		TASAS DE CONVERSIÓN	1%	1%	1%	1%	1%	1%	1%	1%	1%	1%	1%	1%
		TASA DE ABANDONO	25%	25%	25%	25%	25%	25%	25%	25%	25%	25%	25%	25%
		TASA DE RECOMENDACIÓN	?	?	?	?	?	?	?	?	?	?	?	?

CUADRO 6.2.
DESARROLLO Y FASES DEL PRODUCTO NIRE

	Control	Nutrición	Actividad física	Servicios
Producto mínimo viable	Integración manual de análisis y almacenamiento de 5 parámetros Caracterización personal, vicios, preferencias, gustos...	Alimentos recomendados Dietas base carecterización 5 parametros Lista compra automática	Recomendaciones Score riesgo cardiovascular Control de actividades básico	Derivaciones al medico
BETA 1	Almacenamiento y seguimiento de hasta 50 parámetros médicos			Control del tratamiento
BETA 2				Historial médico personal
BETA 3		Servicio nutricional Servicio nutricional sobre nutrigenético Lista compra pro	Plan de actividades personalizado Control de actividades pro	
Resto de funcionalidades producto comercial	Integración automática de sensores propios Wearables technologies Estado de animo		Videos ejercicios Capacidad max de actividad Prueba de esfuerzo	Calendarios y alertas Track de alimentación Track actividad física Track sueño
Shop	Analítica completa desde el hogar • Preoperatorios • Analíticas de venéreas • Controles de empresa.	Nutrigenético Economato Catering Adaptaciones a países Restaurantes Recetas y videos	Trainner Aparatos Sesiones (spa, fisioterapia,...)	Personal asistant

CUADRO 6.3.
LEAN CANVAS INICIAL*

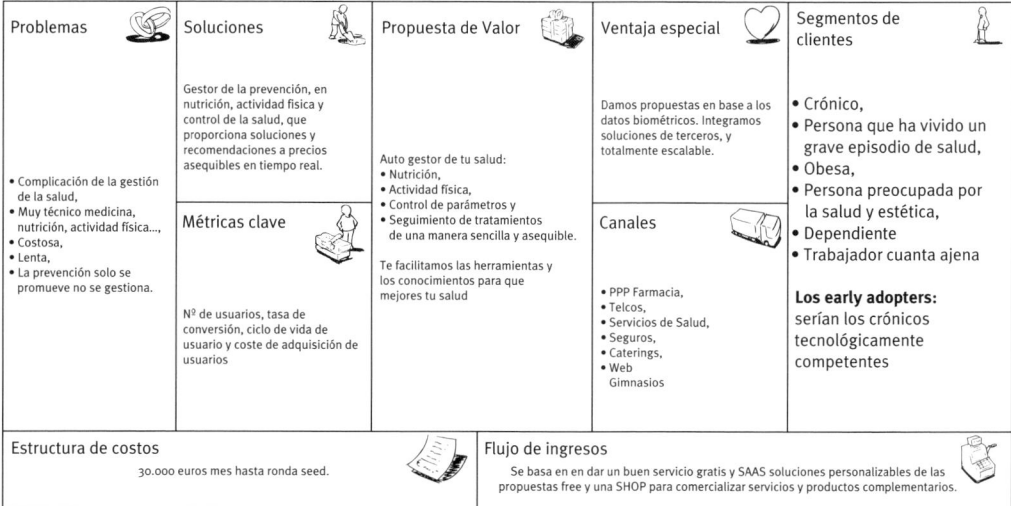

* "Inicial" porque el flujo de ingresos de Nire podía venir, también, por otras vías complementarias al usuario final.

6.2. Planteamiento estratégico inicial

Pero tanto el CEO[3] como el Consejo de Administración de Nire son personas ambiciosas e inquietas intelectualmente, por lo que para el 7 de abril de 2014 habían realizado su primer **plan estratégico** en el que se reflejaron sus fortalezas y debilidades así como sus oportunidades y amenazas (cuadro 6.4).

CUADRO 6.4. (A)
OPORTUNIDADES Y AMENAZAS PARA NIRE

OPORTUNIDADES	AMENAZAS
• Altas tasas de crecimiento del mercado de la auto-gestión de la salud, basada en la prevención. • Peso del gasto en crónicos (sobre el presupuesto total disponible) por parte de los distintos gobiernos y/o sistemas de salud. • Numerosos fondos de inversión, buscando posibles inversiones en empresas dedicadas a la salud. • Avidez de las grandes multinacionales por el desarrollo del mercado de la salud. • La competencia actual está atomizada y no estructurada.	• La posibilidad de ser copiada la aplicación por una empresa con más recursos que Nire iHealth. • Que alguien desarrolle una aplicación más completa o mejor. • Que cualquiera de las empresas con las que firmemos acuerdos de colaboración, solos o en cooperación con algún tercero, desarrolle una aplicación igual o mejor. • Que la adopción de esta aplicación sea demasiado lenta para el tiempo que como pionera tiene Nire iHealth.

CUADRO 6.4. (B)
FORTALEZAS Y DEBILIDADES DE NIRE

FORTALEZAS	DEBILIDADES
• Aplicación innovadora para la auto-gestión de la salud, basada en la prevención. • Utilidad y potencialidad de la aplicación de Nire iHealth de cara a la auto-gestión de la salud, basada en la prevención. • Potencialidad de los contactos del equipo de Nire iHealth. • Entusiasmo y empuje del equipo emprendedor. • Gran potencialidad de la aplicación por parte de médicos e inversores. • Agilidad y flexibilidad.	• Peso del corto plazo sobre el largo plazo ante una *start up* como Nire iHealth: Intereses de los socios promotores *versus* intereses empresariales. • Carencia de los recursos humanos y materiales necesarios para sacar provecho de una innovación como ésta. • Total desconocimiento de Nire y falta de aval médico-científico. • Todavía no se tiene el producto testado.

---

[3] Txaber Gandiaga es Chief Executive Officer (CEO) y cofundador de Nire.

Con ese **diagnóstico** de la situación, con pocos meses de existencia y, por supuesto, menos medios, no suele ser habitual marcarse unos **objetivos estratégicos** tan ambiciosos como los que refleja el cuadro 6.5.

CUADRO 6.5.
OBJETIVOS ESTRATÉGICOS DE NIRE PARA EL HORIZONTE 2014-2016

- Lograr, en 2014, el millón de usuarios activos (4,8 millones en 2016) y 200.000 de pago.
- Dimensión en 2016: 312,2 Mio€ en ventas y 269,2 Mio€ en resultados.
- Desarrollar la notoriedad y la imagen de empresa ante inversores target.
- Aumentar la presencia de la empresa en los mercados mundiales elegidos: Colombia, Marruecos, USA.
- Fidelizar a los clientes *premium* de los mercados en los que opere.
- Conseguir los objetivos relacionales y de capilaridad de una hipotética ronda A.

Para intentar conseguirlos, nos marcamos una **estrategia de internacionalización** como la señalada en el capítulo 2 de este libro: "exportación mixta" (directa e indirecta), concesión de licencias e inversión directa en el exterior (la inversión directa se destacaba como una opción estratégica de internacionalización para Nire en Latinoamérica –en adelante, LATAM– y Estados Unidos –USA–) y cooperación con otras empresas (siendo la opción más destacada la constitución de *joint ventures*).

Como en todo **plan de internacionalización**, cobraba especial relevancia la priorización de mercados, tanto en lo que a implantación se refiere como en cuanto a los países a los que se pretendía acceder desde ellos. Sin olvidarnos (como se puede ver en el cuadro 6.6) si se intentaría acceder a ellos con inversión directa en una *joint venture* con un socio local (como se hizo en Colombia y Emiratos Árabes Unidos) o mediante la venta directa (como se contemplaba hacer en la Unión Europea).

Se distinguía lo que eran decisiones de puesta en marcha inmediata[4] de la citada estrategia de "exportación mixta", de aquellas otras que pretenden sentar las bases de los resultados esperados para el año 2016. Estas últimas requieren una previa prospección de mercado (LATAM, Oriente Medio y USA), la identificación de posibles socios, contactos preliminares y tanteos en cuanto a su voluntad de establecer acuerdos con Nire, etc. Y se señalaba que, en estos mercados estratégico prioritarios, deberíamos conseguir los objetivos de venta y los resultados fijados.

---

4 Que requieren un plan de actuación inmediato por parte de la Dirección.

CUADRO 6.6.
PRIORIZACIÓN DE MERCADOS PARA EL HORIZONTE 2016

	Mercados de implantación	Mercados a los que se accedería	Tipo de estrategia de internacionalización
ESTRATÉGICO PRIORITARIOS (2014-2016)	Colombia	Latam	Inversión directa joint ventures socio local
	Marruecos	Oriente Medio	Inversión directa joint ventures socio laboral
	USA	USA	Inversión directa acuerdos comerciales
ESTRATÉGICOS (2014-2016)	España	UE y Latam	(venta directa)
NO ESTRATÉGICOS (2014-2016)	Resto del mundo (según oportunidad)		???

La **estrategia competitiva** consistiría en la focalización en esos mercados estratégicos y en el *target* señalado desde el principio (los crónicos), así como en la diferenciación. Se recomendaba que Nire basara su propuesta de valor en los aspectos intangibles (pioneros, liderazgo, servicio, atención, imagen, confianza, etc.), ya que son factores más difícilmente imitables y, por lo tanto, le pueden aportar ventajas competitivas más sostenibles en el tiempo.

El gráfico 6.1 sintetizaba las líneas maestras del plan que, posteriormente, fue desarrollado por el correspondiente **plan de marketing y de comunicación**, finalizado el 29 de mayo de 2014. Para no extendernos demasiado, recogemos media docena de gráficos que reflejan parte del mismo:

- Dados los objetivos marcados y la dificultad de conseguirlos con los medios disponibles en tan poco tiempo, en este plan se dio un giro importantísimo a la estrategia de marketing. Nire pasaría de plantearse ir directamente el consumidor final (B2C) a ofrecerse a empresas y organizaciones (B2B) que lo ofrecerían a sus clientes y usuarios (gráfico 6.2).

- Se amplió la estrategia de segmentación de Nire, dadas sus potencialidades. Las empresas de salud seguirían siendo su *target* prioritario, pero éste se ampliaba a empresas farmacéuticas, de *big data*, etc. (cuadro 6.7).

- Se definieron los objetivos de comunicación (cuadro 6.8) así como los públicos objetivo (P.O.) de la comunicación (gráfico 6.3), que se priorizaron como muestra el cuadro 6.9.

- Para cada uno de dichos P.O. se definió un plan de comunicación. El cuadro 6.10 esboza el correspondiente al P.O. "empresas de salud".

GRÁFICO 6.1.

PILARES SOBRE LOS QUE NIRE iHEALTH DEBE BASAR LA CONSECUCIÓN DE SUS OBJETIVOS

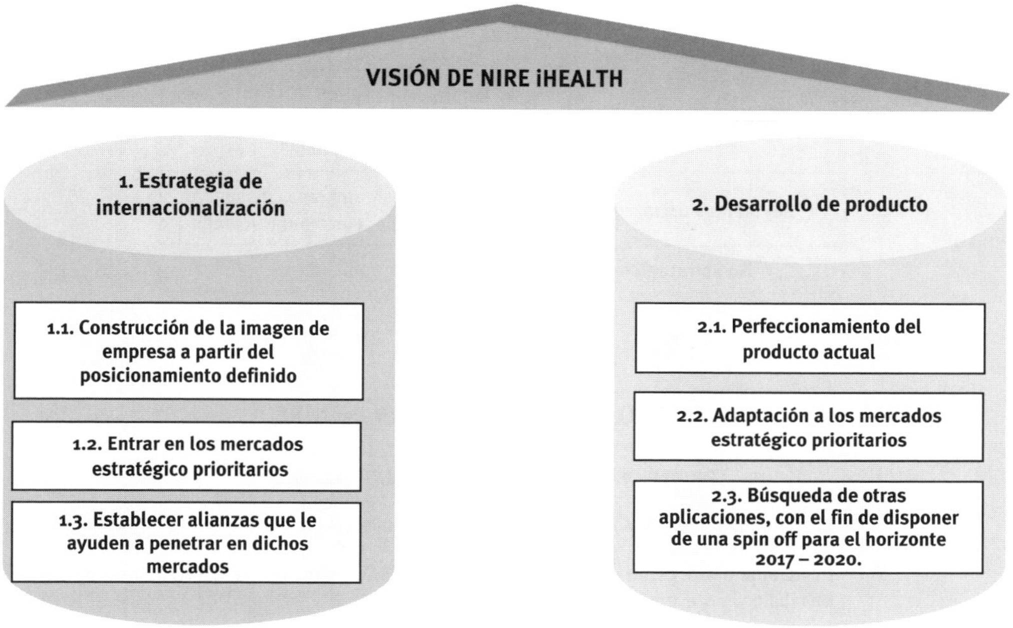

VISIÓN DE NIRE iHEALTH

1. Estrategia de internacionalización

1.1. Construcción de la imagen de empresa a partir del posicionamiento definido

1.2. Entrar en los mercados estratégico prioritarios

1.3. Establecer alianzas que le ayuden a penetrar en dichos mercados

2. Desarrollo de producto

2.1. Perfeccionamiento del producto actual

2.2. Adaptación a los mercados estratégico prioritarios

2.3. Búsqueda de otras aplicaciones, con el fin de disponer de una spin off para el horizonte 2017 – 2020.

GRÁFICO 6.2.

CAMBIO SUSTANCIAL DE LA ESTRATEGIA DE MARKETING DE NIRE iHEALTH

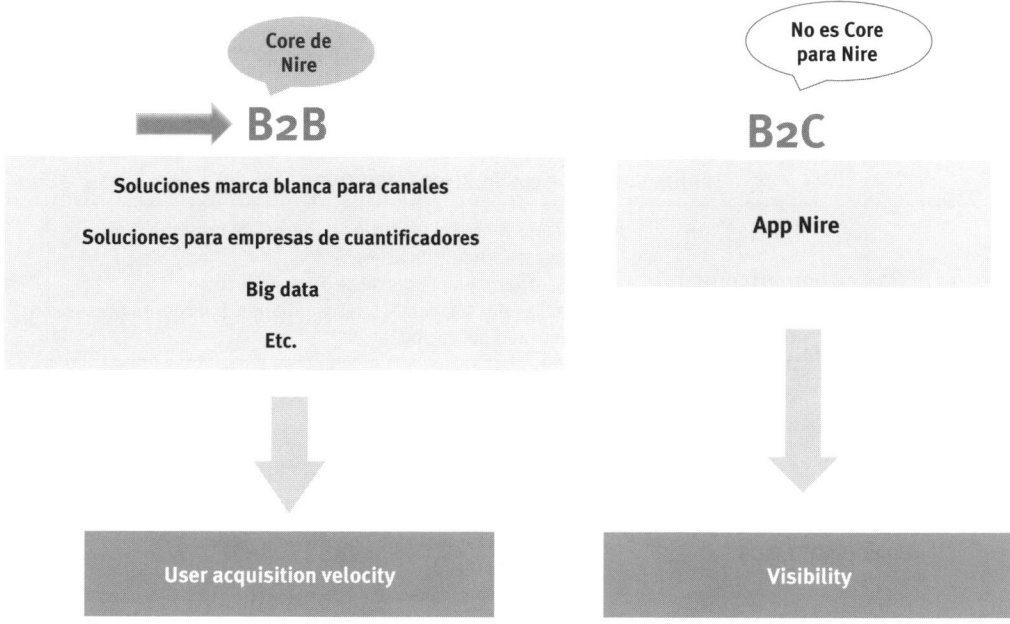

Core de Nire

B2B

Soluciones marca blanca para canales

Soluciones para empresas de cuantificadores

Big data

Etc.

No es Core para Nire

B2C

App Nire

User acquisition velocity

Visibility

CUADRO 6.7.
LOS SEGMENTOS DE EMPRESAS A LOS QUE SE DEBE DIRIGIR NIRE

Estrategia de segmentacion	Segmento
Segmentos estratégico prioritarios	• Empresas de salud • Empresas farmacéuticas • Empresas de "big data"
Segmentos estratégicos	• Igualatorios y empresas de seguros • Empresas de telecomunicaciones
No estratégico	• Grandes corporaciones

CUADRO 6.8.
OBJETIVOS DE COMUNICACIÓN DE NIRE

OBJETIVOS ESTRATÉGICOS DE COMUNICACIÓN
• Incrementar la **notoriedad** de la empresa: Nire iHealth.
• **Posicionar** a Nire como **pioneros** en el ámbito de la "autogestión de la salud, basada en la prevención", ya que: – En la actualidad, la prevención de la salud se promueve pero no se gestiona. – Nire es la inteligencia que les falta a todas las *apps* de los *wearables* existentes en el mercado. – Nire es diferente. – Nire es una ayuda al ciudadano y al médico.

CUADRO 6.9.
PRIORIZACIÓN DE PÚBLICOS OBJETIVO PARA NIRE

PRIORIZACIÓN DE LOS PÚBLICOS OBJETIVOS	
ESTRATÉGICO PRIORITARIOS	• Empresas de salud (servicios públicos, centros sanitarios, empresas farmacéuticas, etc.) • Igualatorios y empresas de seguros médicos. • Empresas de "big data": telecos, utilities, bancos, empresas con tarjetas de fidelización, etc.
ESTRATÉGICOS	• Grandes corporaciones a las que les preocupa la responsabilidad social corporativa. • Inversores y líderes de opinión. • Medios de comunicación.
COMPLEMETARIOS	• Partners / colaboradores (centros tecnológicos, asociaciones empresariales, entidades financieras y de apoyo al emprendimiento...) • Ciudadanía en general.

CUADRO 6.10.
MUESTRA DEL PLAN DE COMUNICACIÓN DE UNO DE LOS P.O.

Empresas de salud (servicios públicos, centros sanitarios, empresas farmacéuticas, etc.)			
OBJETIVOS	MENSAJES	SOPORTE	MEDIOS
• Notoriedad. • Posicionar a Nire como pioneros en el ámbito de la "autogestión" de la salud, basada en la prevención. • Imagen de Nire iHealth como un elemento de apoyo para el control del gasto. • Imagen de Nire iHealth como un elemento de apoyo al médico para el seguimiento y control del paciente.	1. Importancia de la Prevención de la salud, sobre todo en los crónicos. 2. Aportar valor a los médicos (en cuestiones de nutrición, ejercicios físicos, etc.). 3. Seguimiento y control del paciente.	1. Peso del gasto en crónicos sobre el total del gasto en salud. 2. Desconocimiento del médico en cuestiones de nutrición y ejercicios físicos. 3. Falta de medios para hacer el seguimiento y control del paciente.	• Actividad comercial directa. • Marketing directo. • Branded content. • Cª de banners sites afines. • Web. • E-mailing. • SMS. • Visitas. • RRPP. • Relaciones institucionales.

GRÁFICO 6.3.
PÚBLICOS OBJETIVO DE NIRE iHEALTH

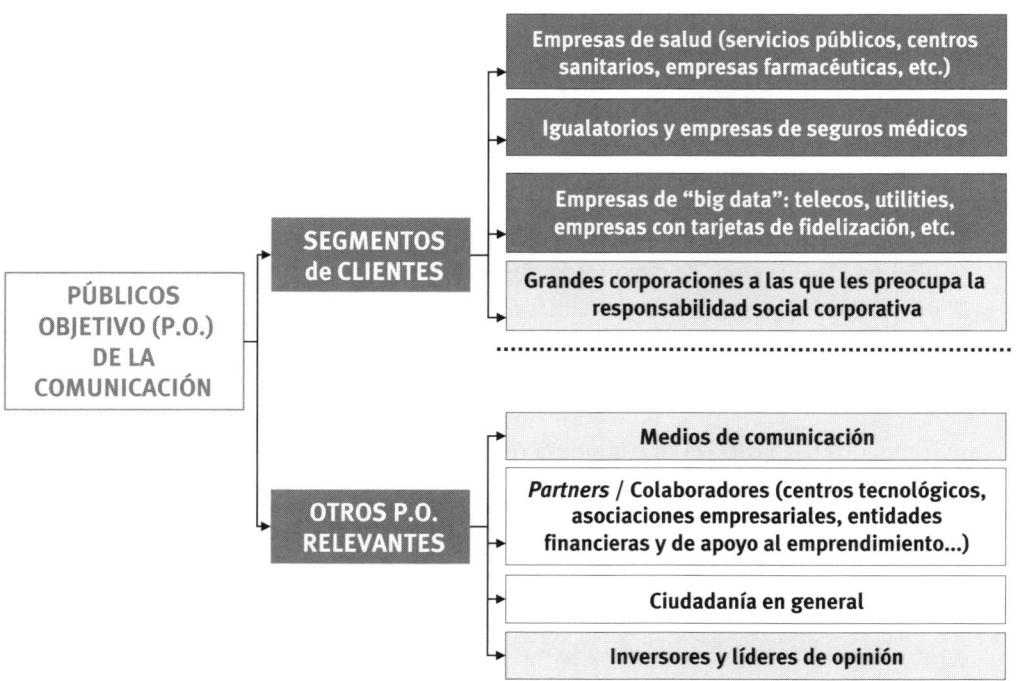

El hecho de que todo este planteamiento estratégico se definiera en los primeros seis meses de existencia de Nire deja constancia de que los instrumentos de planificación no tienen por qué ser ajenos a las *start ups*. Más bien al contrario, les son de gran ayuda porque necesitan (más que nadie) una "hoja de ruta". Aunque sea flexible. Y, por supuesto, aunque no se cumpla a rajatabla. Pero da mucha luz a sus socios y trabajadores.

6.3. Plan de negocio global

Desarrollando la estrategia definida en el citado plan, se constituyeron dos *joint ventures*: una en Colombia (con Konecta Consulting Corp SAS) y otra en Abu Dhabi (con Advance Vision Companies Representation L.L.C.).

Los socios emiratíes de Nire iHealth Emirates L.L.C. pronto pidieron un plan de negocio global, que definiera la "hoja de ruta mundial / global" y que éste fuera de "*champions*". Intuyendo que ello era muestra de su interés en apoyar económicamente el desarrollo de Nire, se elaboró dicho *Business Plan*, que se presentó en Abu Dhabi el 10 de diciembre de 2014. Las páginas siguientes muestran algunas "piezas" clave del mismo:

- El gráfico 6.4 muestra la parte principal de las funcionalidades que aporta el algoritmo de Nire.

- El cuadro 6.11 muestra la estimación del mercado mundial realizada por Nire a partir de la información disponible para el mercado norteamericano.

- El cuadro 6.12 ilustra la previsión de penetración de Nire en el mercado mundial.

- El gráfico 6.5 presenta los objetivos de internacionalización de Nire.

- El gráfico 6.6 ilustra la estrategia de internacionalización de Nire.

- El gráfico 6.7 esboza la estrategia de organización de Nire. Como ilustra este gráfico, la estructura de Nire se basa en el desarrollo de cuatro áreas: funcionalidades, contenidos, desarrollo de negocio y asistencia. Cada una de ellas forma una unidad que se replica en relación al proyecto desarrollado con cada cliente.

- Los principios en los que se basa esta estructura son la escalabilidad, la adaptabilidad y la internacionalización.

- El cuadro 6.13 esboza la estrategia de producto.

- Y, finalmente, el cuadro 6.14 expone algunos de los indicadores económico financieros que arrojaría este *Business Plan*.

GRÁFICO 6.4.
FUNCIONALIDADES QUE APORTA EL ALGORITMO DE NIRE iHEALTH

Monitorización de signos vitales
- Integración automática de wearables (115)
- Gestión de alertas y derivación al médico

Envejecimiento activo
- Plan de nutrición, salud y actividad física
- Seguimiento y asistencia emocional
- Contenidos de salud y bienestar

Gestión de medicación
- Calendarios y alertas
- Control de tratamiento
- Posología

Salud emocional y comportamiento
- Caracterización personal (riesgo, gustos...)
- Estados de ánimo
- Detección de pautas en estilos de vida
- Asistencia

Social engagement
- Contenidos de salud
- Contenidos de estilo de vida

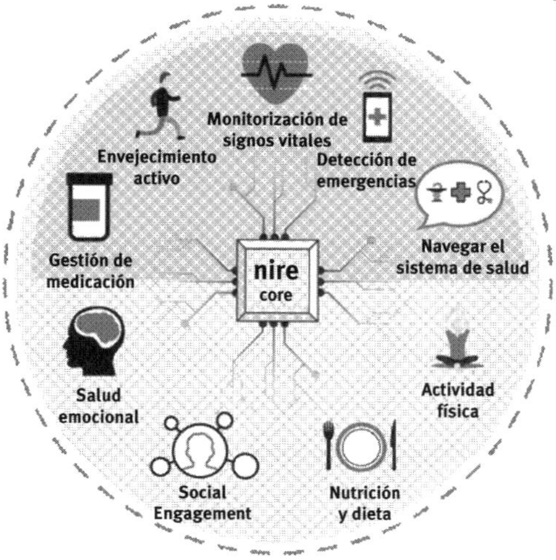

Detección y respuesta a emergencias
- Alertas
- Comunicación con médico
- Derivación a médico

Navegar el sistema de salud
- Gestión de pacientes
- Sistema de Comunicación con paciente
- Derivación a médico
- Visor de Historia Clínica Digital
- Analíticas y resultados desde el hogar

Actividad física
- Plan de actividad personalizado
- Tutoriales
- Riesgo cardiovascular
- Control de actividad
- Capacidad mínima
- Coach
- Test de stress
- Sesiones

Nutrición y dieta
- Dieta por patologías
- Alimentos recomendados
- Lista de la compra
- Servicio nutricional personalizado
- Test nutrigenético
- Catering y restauración
- Recetas por patologías y cultura
- Tutoriales

Diagram center: nire core — Monitorización de signos vitales, Envejecimiento activo, Detección de emergencias, Gestión de medicación, Navegar el sistema de salud, Salud emocional, Social Engagement, Nutrición y dieta, Actividad física

- 42 patologías
- 2.100 alimentos
- 500 dietas
- 1.200 recetas
- 91.000 variaciones de recetas
- 60 rutinas
- 200 ejercicios
- 240 parámetros de salud

Más de 30.000.000 de combinaciones

CUADRO 6.11.
ESTIMACIÓN DEL MERCADO MUNDIAL (acumulado en mill. de $)

Mercado	Personas (mill.)	Renta media ($)	Tamaño	%	2015	2016	2017	2018	2019	Σ
USA	300	45,000	13,500,000	27%	2,859	4,034	5,310	7,119	8,713	30,035
LATAM	500	10,000	5,000,000	10%	200	286	403	531	712	2,152
UE	350	30,000	10,500,000	21%	2,287	3,227	4,248	5,695	6,970	24,028
GCC	30	55,000	1,650,000	3%	1,157	3,000	3,500	4,000	4,500	16,157
ASEAM	700	15,000	10,500,000	21%	2,199	3,103	4,085	5,476	6,702	23,104
CHINA	1,300	7,000	8,450,000	17%	440	621	817	1,095	1,340	4,621
			49,600,000		9,152	14,271	18,363	23,917	28,938	100,097

CUADRO 6.12.
PREVISIÓN DE PENETRACIÓN DE NIRE EN EL MERCADO MUNDIAL

Users	2015	2016	2017	2018	2019
USA	340,335	2,401,037	6,321,024	12,711,686	20,743,910
GCC	2,640,000	8,415,000	9,933,000	11,484,000	13,363,000
ASEAM	130,898	1,846,951	7,293,489	19,556,441	31,913,708
EU	-	384,166	1,011,364	2,711,826	6,638,051
LATAM	166,656	510,503	960,415	1,580,256	2,542,337
CHINA	-	-	97,247	391,129	957,411
TOTAL	3,277,890	13,557,657	25,519,292	48,044,209	75,203,007

Nota: Evolución estimada de personas que pudieran utilizar la app de Nire.

GRÁFICO 6.5.
OBJETIVOS DE INTERNACIONALIZACIÓN DE NIRE iHEALTH
(potencial ingresos en mill de $)

	2015	2016	2017	2018	2019	Σ
USA	29	202	531	1,068	1,743	3,572
LATAM	14	43	81	133	214	484
UE	0	32	85	228	558	903
GCC*	1,157	2,550	3,410	3,480	4,050	14,247
ASEAM	11	155	613	1,643	2,681	5,103
CHINA	0	0	8	33	80	121
	1,211	2,982	4,328	6,584	9,325	24,4429

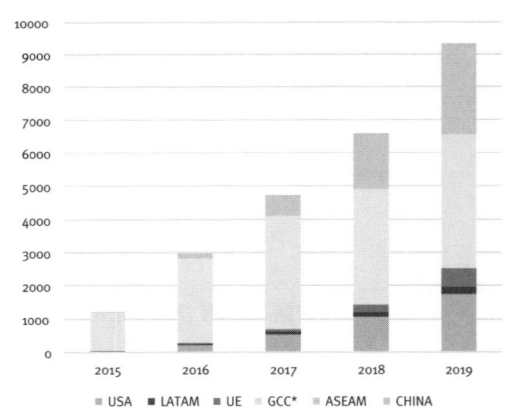

GRÁFICO 6.6.
ESTRATEGIA DE INTERNACIONALIZACIÓN NIRE iHEALTH

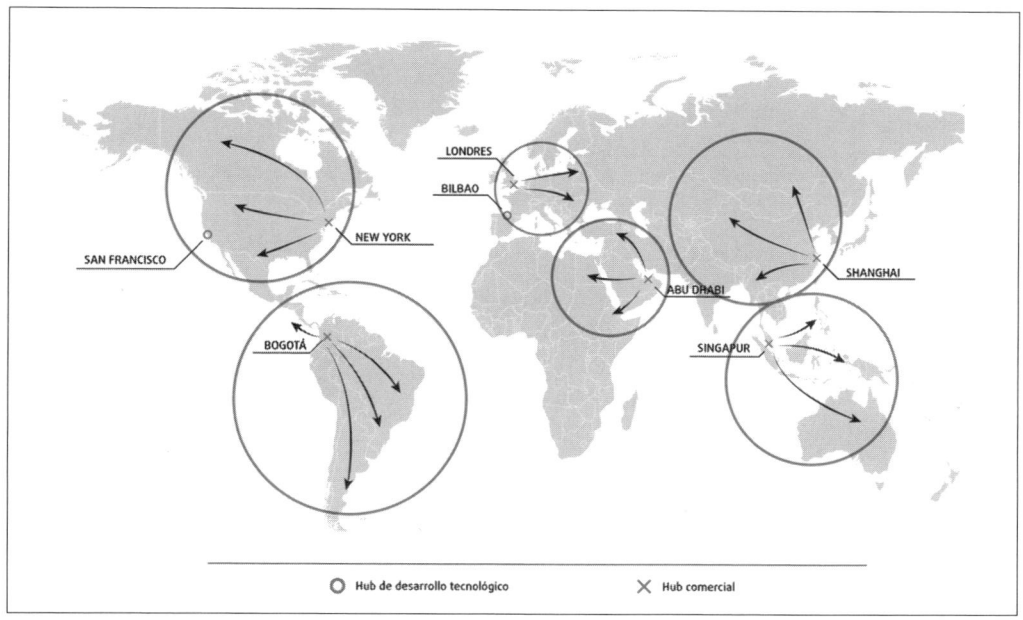

GRÁFICO 6.7.
ESTRATEGIA DE ORGANIZACIÓN DE NIRE iHEALTH

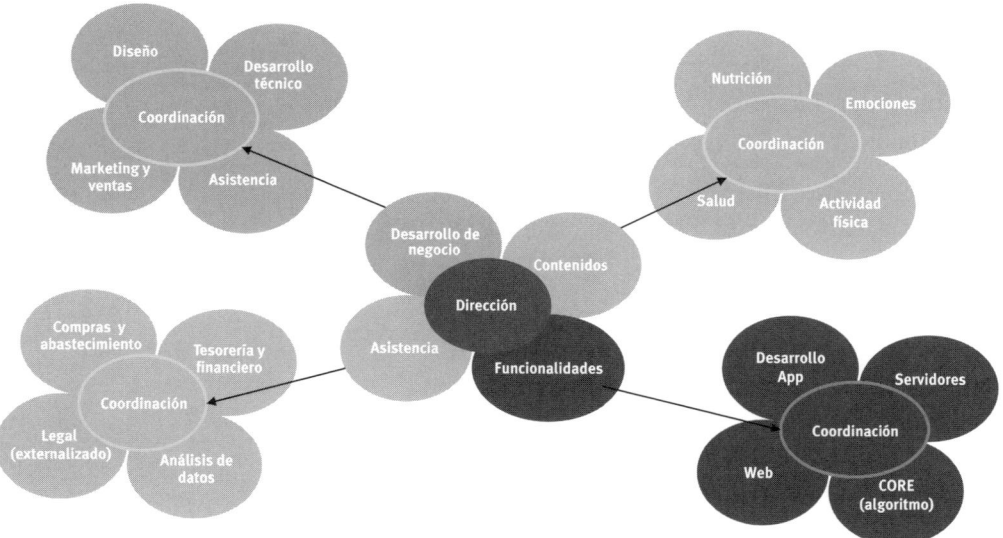

CUADRO 6.13.
ESTRATEGIA DE PRODUCTO

Modelos de monetización de Nire

Modelo de monetización	Descripción	Segmento principal
Tarifa plana	Servicio completo de Nire iHealth con precio por usuario.	• Servicios de salud • Corporaciones
SaaS paquetizado	Usuario obtiene paquetes de funcionalidades.	• Compañías de seguros • Servicios de salud
F (x) (por funcionalidad)	Partiendo de una base free, el usuario paga por cada funcionalidad adicional.	• Corporaciones • (Todos)

Modelos de monetización Nire

CUADRO 6.14.
INDICADORES ECONÓMICO FINANCIEROS
(En el mercado mundial, en mill. de $, a partir de la puesta en marcha del *Business Plan*)

	Año n+1	Año n+2	Año n+3	Año n+4	Año n+5
Ingresos	1.211	2.982	4.328	6.584	9.325
Resultados	890	1.468	2.130	3.241	4.590
Inversiones	300	739	1.072	1.632	2.311

Como todo *Business Plan*, el de Nire terminaba con un plan de contingencia que el lector puede intuir, aunque no se nos permita mostrarlo.

Aprobado este *Business Plan*, era momento de dar los primeros pasos para su implementación, entre otros el fortalecimiento del equipo para poder desarrollar la ambiciosa estrategia expuesta en el gráfico 6.6. Como los recursos eran escasos, el Consejo de Administración priorizó la contratación de un director general que, entre otras cosas, ayudara al CEO en el desarrollo corporativo de Nire (cuadro 6.15).

CUADRO 6.15.
ALCANCE DE LA FUNCIÓN DE DESARROLLO CORPORATIVO

Misión	Ayudar a definir la estrategia y desplegar la operativa de desarrollo corporativo externo de Nire

Principales funciones	• **Cumplimiento de los objetivos de internacionalización** marcados en el *Business Plan global.*
	• Identificación y análisis de **oportunidades de negocio para cada región y mercado definidos en su plan estratégico**:
	  – Cooperaciones puntuales.
	  – Colaboraciones específicas.
	  – Alianzas operativas.
	  – Alianzas estratégicas:
	    ▪ Participaciones (minoritarias y/o mayoritarias, según el caso) en otras empresas.
	    ▪ Creación de empresas mixtas o *joint ventures.*
	    ▪ Compras de otras empresas.
	    ▪ Fusiones de negocios.
	• Realización de **propuestas sobre alianzas**.
	• **Desarrollo y puesta en marcha** de lo acordado.
	• **Información** de los logros alcanzados y/o de la necesidad de proponer actuaciones correctoras.

El director general[5] tendría la ingente tarea de realizar esta función en la media docena de regiones mundiales señaladas en el gráfico 6.6, descendiendo al nivel de los principales países de cada una de esas regiones y pensando en los segmentos / canales definidos en el cuadro 6.7. Ello supondría la asunción de múltiples funciones y tareas, de las que destacamos las siguientes: la identificación de potenciales socios, el acercamiento a los más interesantes, presentación de ofertas, continuas negociaciones, firma de acuerdos y contratos, la creación y puesta en marcha de las pertinentes sociedades, y el apoyo, seguimiento y monitorización de los *partners* y filiales.

En su momento, será necesaria la contratación de un director comercial que en el ámbito geográfico señalado cree y ponga en marcha la oportuna estructura comercial pilotada por directores regionales y *country managers*. Porque en estos mercados se necesitará realizar funciones tan diversas como prospección, formación / adiestramiento, preparación del pertinente material de apoyo (argumentario, *sales folder,* presentaciones en ppt. y en video, etc.), visitas de apoyo y monitorización de la red de ventas.

De lo que los citados directivos desarrollen surgirán necesidades adicionales de desarrollo y adaptación del producto Nire a las peculiaridades de cada región y país (con culturas y hábitos nutricionales diferentes y condiciones climatológicas dispares para poner en marcha las propuestas de actividad física), en los tiempos / plazos requeridos por los canales / clientes de la media docena de regiones y países del mundo (gráfico 6.6.). Y todo ello debe estar perfectamente coordinado por el CEO y el director general

---

[5] Incorporado el 10 de abril de 2015.

de Nire para satisfacer los deseos, demandas y expectativas de sus clientes y usuarios finales.

6.4. Nire iHealth en 2015

Dado que la fecha en la que estamos escribiendo este libro coincide con el momento de puesta en marcha del citado *Business Plan*, poco más hay que comentar en cuanto a la situación que se encuentra Nire en 2015. Por ello, a continuación mostramos un par de gráficos con algunos pantallazos de esta aplicación y posteriormente comentamos dónde y con quién se está poniendo en marcha esta aplicación.

GRÁFICO 6.8. (A)
"PANTALLAZOS INICIALES" DE LA APLICACIÓN NIRE

Tras hacer la correspondiente versión *beta* y probarla en el mercado español, la primera versión de esta *app* salió al mercado colombiano en el último cuatrimestre de 2014 (primero con el nombre Vive Bien y luego como Locatel), de la mano de Locatel Colombia.[6] Y a finales de diciembre de 2014 se cerró el acuerdo con Colsanitas,[7]

---

[6] Cadena de farmacias venezolana con presencia en Estados Unidos, México, Rusia y Colombia, además de en Venezuela.

[7] Una empresa del Grupo Organización Sanitas Internacional, que proporciona una amplia gama de servicios de salud en forma de prepago.

pudiendo sus clientes hacer uso de la misma a partir de enero de 2015. Por tanto, Colombia ha sido el primer país en el que se ha podido utilizar esta *app*.

GRÁFICO 6.8. (B)
"OTROS PANTALLAZOS" DE LA APLICACIÓN NIRE

6.5. Resumen

Es obvio que en este caso todo está por ver. ¿Será un éxito mundial o local? ¿Será uno más de esos casos en los que la realidad de mercado hace imposible a sus promotores cumplir sus sueños? Quién lo sabe. En estos momentos, los promotores y colaboradores de Nire no lo sabemos. Pero lo que sí sabemos es que es un proyecto apasionante, digno de luchar por él.

Y lo traemos a colación porque, independientemente de que con el tiempo se convierta en un caso de éxito o de fracaso, este capítulo muestra que:

- Una *start up* puede **nacer** con un planteamiento **global**, como hemos señalado en el capítulo 2.

- Existen **oportunidades de negocio** dignas de ser explotadas mundialmente.

- Para su explotación es necesario definir el **modelo de negocio** más idóneo con el negocio en cuestión y con los medios disponibles por parte de los promotores.

- La necesidad de dotarse de instrumentos de planificación (*Business Plan* inicial, plan estratégico, plan de marketing y comunicación, y **plan de internacionalización o de globalización**)[8] para contar con una hoja de ruta compartida por todos.

- Y que **toda PYME**, incluso una *start up,* puede y **debe contar con un plan de internacionalización**.

Muchas gracias a los promotores y colaboradores de Nire por creer en este proyecto innovador y disruptivo y por apoyar su nacimiento y desarrollo, sin desfallecer en el intento, a pesar de las múltiples dificultades que surgen en los primeros meses y años. La experiencia está siendo memorable y por ello hemos decidido mostrarla en estas páginas.

[8] En este caso de nominado *Business Plan* global.

Capítulo 7
Factores clave de éxito para la internacionalización de la PYME

"Un fracasado es un hombre que ha cometido un error
pero no es capaz de convertirlo en experiencia".

Elbert Hubbard

7.1. Una cultura emprendora

Compartimos el significado del vocablo emprendedor[1] que señala la enciclopedia CISS:[2] *"Un **emprendedor** es aquella persona que es capaz de convertir una idea en un proyecto empresarial, creando una nueva empresa o generando un salto de calidad en la empresa en la que ya participa".*

Pero ¿cuáles son los principales **rasgos del espíritu emprendedor**? Se suele escribir que entre las principales cualidades del emprendedor están su ilusión, su creatividad, su vocación de liderazgo, su habilidad negociadora, su capacidad de convicción, su tenacidad, su capacidad de asumir riesgos, su orientación a objetivos, habituarse

---

[1] Como hemos recordado en la presentación del libro, emprendedor es quien tiene iniciativa o decisión para acometer empresas o negocios, diferenciando el lugar donde se desarrolla esa facultad emprendedora: *intraemprendizaje*, emprendimiento interno o *intrapreneurship* (cuando se desarrolla dentro de la empresa) y emprendizaje, **emprendimiento** o *entrepreneurship* (cuando se crea una nueva empresa "desde cero").

[2] Enciclopedia coordinada por Ricardo J. Palomo Zurdo, catedrático de la Universidad CEU San Pablo.

a vivir en la incomodidad, tener siempre una actitud de punto de salida, actuar como filtro de conocimiento y como aplicadores del mismo, y colaborar con otras empresas y personas dentro de un ecosistema.

A nuestro juicio, *Start-up Nation*[3] –analizando el caso de Israel– recoge de forma clara y contundente los dos rasgos más destacados del **espíritu emprendedor**: *"brains and energy"*:[4]

- Para forjar / educar sus mentes, sus "cabezas", sus *brains*, el 50% de los israelitas pasan por una educación (no formación) sin parangón: servicio militar[5] y universidad, de tal forma que para cuando tienen 25 años son más maduros y tienen más experiencia vital que en la mayoría de países del mundo. Esta educación consigue que sus cabezas estén mejor preparadas para la innovación, porque **tienen perspectivas diferentes**,[6] pero sobre todo **aprenden a asumir responsabilidades**.[7]

- Y consiguen esa energía, ese coraje, ese arrojo,[8] incluso esa arrogancia, que les permite cuestionarse todo,[9] que, como hemos resaltado en este libro,[10] es una característica inherente al emprendedor e innovador. Lo cual lleva a que *"cuando un emprendedor israelita tiene una idea, la pondrá en marcha esa misma semana"*.

---

[3] Senor, D. y Singer, S. (2012): un best seller en Estados Unidos, que se ha convertido en el libro de cabecera de muchos empresarios. Este ensayo es una historia de talento, cuestionamiento de la autoridad, trabajo en equipo y amor por el riesgo y una actitud única hacia el fracaso. En este espejo se debieran mirar muchos emprendedores españoles.

[4] En palabras de Warren Buffet, quien, en 2006, hizo en Israel la primera compra de una empresa fuera de Estados Unidos: invirtió 4.000 millones de dólares en la compra del 80% de Iscar (un fabricante global de maquina-herramienta). El 25 de mayo de 2013 recoge *Expansión* la noticia de que *Google* y *Facebook* compiten por la "puntocom" *Waze*, una *start up* tecnológica de origen israelí que cuenta con un servicio de mapas para móviles, y que *Google* la está valorando en 1.000 millones de dólares.

[5] Según los estudiosos de este caso, mientras hacen el servicio militar los jóvenes reciben más que una educación militar: aprenden cuestiones muy necesarias en los negocios como tomar decisiones, entrenar su mente y ser disciplinados.

[6] Normalmente la perspectiva surge de la experiencia. Y mientras que en cualquier otro país la experiencia real se consigue en la madurez de la vida, en Israel los jóvenes consiguen antes de los 30 años la experiencia, perspectiva y madurez que les caracteriza.

[7] Como suelen decir los militares, cuando asumes la responsabilidad de algo, te haces responsable de todo lo que ocurra ... y de todo lo que no ocurra, de forma que en esa cultura no ha lugar a la frase "No es culpa mía", lo que a juicio de personas que han pasado por *Business School* como *Princeton* "*sólo cuando estás bajo una presión como esa, a una edad tan temprana, te obliga a pensar en los tres o cuatro movimientos de ajedrez siguientes en todo lo que haces, tanto en el campo de batalla como en los negocios*".

[8] A usted inmediatamente le vendrá a la mente la expresión coloquial que utilizamos en castellano refiriéndonos a lo mismo y que en Israel le llaman "*chutzpah*" o que los anglosajones dicen "*got the guts?*".

[9] Aunque en esa empresa predomine la cultura del "*toda la vida se ha hecho así*".

[10] En el capítulo 4 concluíamos que para vivir con una actitud innovadora hay que mantener una mentalidad crítica, cuestionándose todos los días lo que hacemos, pues así lo hacen nuestros clientes y consumidores; y una mentalidad abierta al cambio. Estar atentos a todo lo que ocurre alrededor (consumidor, mercados, otros sectores, otros países, etc.) y estar dispuestos a cambiar, por muy traumático que sea el cambio que tenemos que experimentar.

Analizando este caso, Joshua Monen[11] saca los siguientes corolarios o lecciones:

- **La importancia de asumir responsabilidades** por todo lo que ocurre y lo que no ocurre en nuestra empresa o negocio.

- Y que para tener éxito debemos funcionar con un estado mental totalmente proactivo. En otras palabras, debemos **tener un pensamiento estratégico** que nos permita "visionar" y "negociar" las tres o cuatro jugadas siguientes de la partida de ajedrez en la que estamos (en este negocio o empresa). Pero como, tarde o temprano, tendremos que poner en marcha esos pensamientos estratégicos, se necesitará el **coraje** ("*chutzpah*") necesario para hacer realidad lo que hemos visionado. Porque, hoy en día, "*el mundo económico premia a las personas que tienen el coraje para retar el statu quo y pensar fuera de los límites*".[12]

Pero ¿cuáles son las formas de actuar de la empresa *intraemprendedora?* Las personas que trabajan en estas empresas y, por ende, estas empresas tienen una **cultura emprendedora** cuyos principales rasgos pueden ser los siguientes:[13]

1. Mantienen una visión de futuro ambiciosa, clara y bien comunicada.

2. Redefinen las fronteras del mercado y se centran en la perspectiva global, no en las cifras cortoplacistas.

3. Tienen capacidad y vocación para identificar nuevas oportunidades.

4. Entienden que la dirección no puede ser la única fuente de innovación estratégica y valoran la oportunidad de involucrar a más personas de la organización como antenas para la identificación de nuevas oportunidades de negocio.

5. Favorecen la existencia de espacios de libertad, de esparcimiento y de interacción entre personas de la organización, que facilitan, en función del perfil de sus profesionales, desarrollar ese trabajo de alquimia necesario para la generación de nuevas oportunidades.

6. Actúan con imaginación, experimentan, innovan y asumen también el fracaso como posible.

7. Favorecen el fomento y la canalización de las iniciativas empresariales.[14]

---

[11] Escribió, el 25 de julio de 2012, "*Lessons from Israeli Startups*", un interesante artículo de 3 páginas que está colgado en Internet y del que este autor ha extraído sus principales ideas y conclusiones.

[12] **Todo esto ha hecho que** el Estado de **Israel se haya convertido en el líder global en innovación, creatividad, competitividad y emprendimiento,** principales preocupaciones de los gobernantes de Occidente. Y esto viene acreditado en que en Israel se da la segunda concentración (tras el Silicon Valley) mundial de empresas tecnológicas; el país invierte en I+D el 4,7% de su PIB y cuenta con el segundo mercado mundial de "*venture capital*".

[13] B+I Strategy (2010), págs. 38-39.

[14] Por ejemplo, para ello el Grupo Ulma creó hace años el Departamento de Promoción, responsable de facilitar la valoración de oportunidades, concretar los apoyos que el grupo prestará al emprendedor, las alternativas de desacoplamiento, etc. Este autor ha tenido el privilegio de trabajar en varias ocasiones con este Departamento del

De todos ellos, quisiéramos resaltar el tercero: su capacidad y vocación para identificar nuevas oportunidades de negocio porque, a nuestro juicio, sin dicha capacidad probablemente no se daría la internacionalización de las empresas. Pues bien, Olivé, tras analizar cinco casos de emprendedores,[15] concluyó que *"el conocimiento previo del emprendedor resultó ser un pre-requisito para el reconocimiento de las respectivas oportunidades de negocio. En cuatro de los casos, la oportunidad de negocio fue identificada gracias a una búsqueda sistemática restringida al conocimiento previo del emprendedor, mientras que en el caso restante (Buff), la oportunidad de negocio fue identificada por casualidad. En tres de los casos (Atrápalo.com, Naturhouse y Paellador), la oportunidad de negocio no existía y tuvo que ser creada desde cero, cuando en los restantes dos casos (AUSA y Buff) la oportunidad de negocio ya existía"*. La principal conclusión de su investigación es que ***"la creación o construcción desde cero de una oportunidad de negocio tiene que ver con el diseño de un modelo de negocio a través de la experimentación a base de ensayo y error."***

Sean éstos u otros los rasgos de la cultura emprendedora, lo cierto es que en España no florece como en otros países. Más bien estamos muy rezagados.[16] Según Expansión, una *"formación que fomente el espíritu emprendedor desde las edades más tempranas, un capital que de verdad arriesgue en la puesta en marcha de los proyectos más novedosos y el fortalecimiento de una cultura que no penalice el fracaso pueden convertir a nuestro país en el edén del emprendedor. Un reto que ya es una realidad en países como Estados Unidos, Israel o Chile"*.

A juicio de muchos emprendedores, nos encontramos por detrás de países como Serbia, Turquía o Croacia, entre otras cosas porque *"los impuestos a los que hay que hacer frente en los inicios pueden costar la vida a una empresa"*.[17] Pero, como eso no está en nuestras manos, resaltaremos otro déficit más relevante para el propósito de este libro: la tolerancia al fracaso. De ahí la cita de Hubbard que recogemos en el encabezamiento de este último capítulo: *"Un fracasado es un hombre que ha cometido un error, pero no es capaz de convertirlo en experiencia"*.

Grupo Ulma y ser, por tanto, colaborador de algunas de las iniciativas que han dado la luz, como por ejemplo, Ulma Embeded Solutions, Ulma Inoxtruck, SR, etc.

[15] Olivé, Antonio (2013): "Las oportunidades de negocio, ¿se reconocen o se construyen?", artículo basado en el análisis de cinco casos: AUSA (que diseña, fabrica y comercializa vehículos para el sector de la construcción), Atrápalo.com (portal de internet de reserva de entradas de espectáculos, vuelos y hoteles), Naturhouse (cadena de tiendas de dietética regentadas por dietistas cualificados que ayudan a sus clientes a perder su exceso de peso gracias a recomendar una dieta y a prescribir productos dietéticos), *Buff* (que diseña, fabrica y comercializa las prendas tubulares conocidas en el mercado de la ropa deportiva y de aventura como *"buff"*), y Paellador (que proporciona al bar o restaurante un horno de cocción y un stock de paellas precocinadas y congeladas en régimen de depósito).

[16] Estados Unidos, Israel y Chile probablemente se encuentran en el top ten; China, Singapur, Tailandia e India son los países de referencia en Asia; además de Chile, Brasil, Colombia, Bogotá, Ecuador y Perú, son referencia en Latinoamérica; Reino Unido lo es en Europa; y, desgraciadamente, también aquí los países peores al respecto vuelven a ser los del sur de Europa: España, Italia o Francia, según Expansión.com, 20 de mayo de 2013: "Qué necesita España para ser el paraíso de los emprendedores".

[17] Según Daniel Bezares, creador de de Percentil.com.

Los déficits que aprecian los emprendedores también tienen que ver con la educación y la tolerancia al fracaso. Iñaki Arrola, fundador de Coches.com y socio del fondo Vitamina K, que apoya a futuros emprendedores, afirma que nuestro país adolece de formación para emprender: *"Montar un negocio nunca ha estado bien visto porque se piensa en el fracaso. Hay que enseñar que crear una empresa es posible y que para ello hay que fracasar y no pasa nada. En Estados Unidos se fomenta esta cultura desde el colegio"*. Es de los que asegura que el paraíso no tiene tanto que ver con favorecer la creación de *start ups* con una ley o con reducir la burocracia, *"sino con crear un contexto que de verdad fomente el espíritu emprendedor"*. Una opinión que comparte con Jordi Vinaixa, director académico del Instituto de Iniciativa Emprendedora de Esade: *"Tenemos una cultura de excesiva búsqueda de la seguridad y todo lo relacionado con el riesgo nos es ajeno. Desde el punto de vista legislativo, disponemos de unas normas muy garantistas que hacen que la puesta en marcha de empresas se ralentice. Además, se penaliza el fracaso. Si una persona ha fallado una vez, por ejemplo, si ha tenido un problema de morosidad, éste queda en su expediente aunque esté resuelto. No somos de dar segundas oportunidades"*. Esto es algo superado en Estados Unidos. Por eso es, junto con Israel, uno de los países de referencia de los emprendedores. Además, Arrola admira a este último *"porque fomenta la cultura del esfuerzo desde edades tempranas"*.

En fin, está claro que en un país como España, donde en los últimos años se han destruido unas 500.000 empresas, la sociedad tiene que hacer muchas cosas para aumentar el emprendimiento. Pero el espíritu emprendedor no se consigue con medidas gubernamentales como la Ley de Emprendedores.[18] Como se ha podido deducir de lo expuesto en este punto, lo primero que se necesita es desarrollar el espíritu emprendedor y conseguir que la sociedad obtenga una cultura del emprendimiento de la que hoy carecemos y de la que se están dotando muchos países del mundo.

7.2. Pilares básicos: pensamiento estratégico y visión internacional

Si tuviéramos que elegir dos,[19] abogaríamos por el establecimiento de una nueva cultura empresarial basada, principalmente, sobre **dos pilares básicos**: el pensamiento estratégico y una visión internacional.

---

[18] Aprobada el 24 de mayo de 2013 por el Consejo de Ministros y que, a juicio de muchos expertos, se ha quedado corta con respecto a lo que se esperaba de ella. El presidente de la Asociación de Trabajadores Autónomos, Lorenzo Amor, criticaba la norma el 1 de junio de 2013, en *Expansión*, donde decía: *"La norma no tiene en cuenta que de 346.000 emprendedores que surgen cada año en España, sólo 100.000 se constituyen como empresa y el resto funcionan como autónomos... En este país tenemos la manía de ligar el concepto emprendedor con los jóvenes y con los que crean compañías... Fomentar la inversión privada, regular la figura de los business angels, impulsar la innovación y la internacionalización con deducciones, entender que la universidad ha de ser el mayor generador de empresas y proyectos de investigación, etc. son algunas de las medidas que llevan reclamando los emprendedores y autónomos, que se contemplan en la ley pero que –a su juicio– se quedan cortas. Por lo que coinciden en calificarla de escasa"*.

[19] En el capítulo 1 hemos enunciado media docena.

7.2.1. Pilar nº 1: Pensamiento estratégico

Una de las oportunidades de mejora más destacadas que tienen las PYMES es desarrollar en su equipo de dirección un auténtico pensamiento estratégico. Pasar de ser gestores a estrategas. Ello pasa por tener una visión global, o al menos internacional de los mercados,[20] de los clientes potenciales, de la ubicación de las plantas de producción, de los centros logísticos y, por qué no, de los centros tecnológicos con los que trabajar. Una visión internacional que sea coherente con la globalización de los mercados[21] y que se plasme en una estrategia o un **plan de internacionalización**.

Pero como, tarde o temprano, tendremos que poner en marcha esos pensamientos estratégicos, se precisará el coraje necesario para hacer realidad lo que hemos visionado. Porque, hoy en día, el mundo económico premia a las personas que tienen el coraje para retar el *statu quo* y pensar fuera de los límites.

Este pensamiento estratégico que propugnamos supone tomarse en serio la innovación y no sólo la innovación tecnológica, lo que deberá suponer, entre otras cosas, redefinir la forma en que la empresa aborda la innovación. De especial relevancia para la PYME será la utilización de las alianzas estratégicas como principal vehículo de crecimiento con baja inversión. En efecto, si la cooperación interempresarial es siempre una opción estratégica conveniente para las empresas grandes, para las PYMES (la cooperación interempresarial) es una opción necesaria e imprescindible tanto para sobrevivir como para desarrollarse internacionalmente.

7.2.2. Pilar nº 2: Visión internacional

Como acabamos de señalar, el pensamiento estratégico supone tener una visión global, o al menos internacional, de los mercados, de los clientes potenciales, de la ubicación de las plantas de producción, de los centros logísticos y, por qué no, de los centros tecnológicos con los que trabajar. Esta visión global, que deberá ser coherente con la globalización de los mercados, no implica que una empresa –y menos una PYME– trabaje sólo con recursos propios. Bien al contrario, debe necesariamente estar sustentada sobre alianzas y colaboraciones diversas, de tal forma que:

---

[20] En la **visión global**, las empresas suelen tener una dimensión mundial, sus instalaciones están multilocalizadas, sus consumidores son de cualquier parte del mundo, sus trabajadores provienen de cualquier país del planeta. Por contra, en la **visión internacional** basta con la búsqueda de mercados distintos al mercado interior, por lo que sus consumidores y trabajadores provienen de los mercados internacionales en los que se ha concentrado la empresa y, en consecuencia, la dimensión no suele ser tan grande ni la multilocalización tan extensa como para abarcar todo el mundo.

[21] La **globalización de los mercados** es consecuencia de una mayor interdependencia entre los diferentes países y regiones del mundo, producida por el abaratamiento de los sistemas de trasporte y, sobre todo, por las nuevas tecnologías de la información y de las comunicaciones (NTICs) que, entre otras cosas, han facilitado una mayor trasmisión del conocimiento.

- Aunque persigamos conquistar clientes de todo el mundo, la estrategia comercial esté sustentada sobre el crecimiento orgánico (red comercial, delegaciones u oficinas comerciales propias, desplegadas en los países estratégicos) y el crecimiento externo (ubicaciones productivas, logísticas, comerciales y el personal de nuestros aliados).

- Utilicemos las alianzas no sólo para reducir costes sino también para adquirir *know how*, canales de distribución, conocimiento del mercado, etc.

En síntesis, esta **nueva cultura empresarial** debe tener los siguientes rasgos:

- Una dirección que comparta algunos de los rasgos del citado **espíritu emprendedor**: ilusión, vocación de liderazgo, capacidad de convicción, tenacidad, capacidad de asumir riesgos y orientación a objetivos.

- Directivos que actúen con imaginación, que experimenten, que innoven y que asuman también el fracaso como posible. Que mantengan una visión de futuro ambiciosa, clara y bien comunicada. Que redefinan las fronteras del mercado y se centren en la **perspectiva global**.

- Una organización que tenga capacidad y vocación para identificar nuevas oportunidades y se involucre como antena para la identificación de las mismas. Y que favorezca la existencia de espacios de libertad y de interacción entre personas, que faciliten desarrollar el trabajo de alquimia necesario para la **generación de nuevas oportunidades**.

- La dirección debe ser capaz de dar un **salto cualitativo en su visión del mundo**[22] y ser consciente de que los recursos pueden ser más productivos fuera de sus fronteras que dentro.[23] Sin olvidar que lo que es válido para España no necesariamente lo es para Estados Unidos, Sudamérica, India, China u otras partes del mundo.

- Una dirección preparada para la **innovación**, porque acepta y propicia perspectivas diferentes y, sobre todo, capaz de **asumir responsabilidades** por todo lo que ocurre y lo que no ocurre en su empresa o negocio.

Probablemente estos rasgos están presentes en los casos recogidos en los capítulos 3 a 6 del libro, así como en los que expone el ICEX. De estos últimos hemos seleccionado los que muestran los cuadros 7.1 y 7.2: el primero se refiere a empresas con

---

[22] Esta visión del mundo debe contemplar los acuerdos de integración regional existentes (Unión Europea, el Tratado de libre comercio de América del Norte, la Asociación de libre comercio de ASEAN, el Consejo de Cooperación del Golfo, Mercosur, la Comunidad Andina, el Mercado Común Centroamericano, la Comunidad Económica y Monetaria de África Central, la Comunidad Económica de los Estados de África Occidental, el Mercado Común para el África Central y Meridional, etc.), así como los "prometedores" bloque de países: los BRIC (Brasil, Rusia, India y China), los Next Eleven (Vietnam, Bangladesh, Indonesia, Corea del Sur, Egipto, Turquía, Filipinas, México, Nigeria, Paquistán e Irán) o los países africanos que emergerán próximamente (Angola, Sudáfrica, Argelia y Mozambique).
[23] No sólo porque son más baratos sino, sobre todo, porque aportan igual o mayor valor que los producidos en Occidente.

una facturación inferior a los diez millones de euros y el segundo con una facturación superior. Se comprobará cómo la dimensión de la empresa y su trayectoria más dilatada hacen que las segundas estén abordando hitos más avanzados dentro del proceso de internacionalización antes descrito.

CUADRO 7.1.
EJEMPLOS DE PYMES INTERNACIONALIZADAS

CONCEPTOS	SALTO SYSTEMS, S.L.	LORPEN (ahora parte de Ternua Group)
ACTIVIDAD	1. Seguridad en edificios a través de sistemas electrónicos de control de acceso.	1. Calcetines técnicos.
MÉTODOS DE ENTRADA	1. Socios locales. 2. Filiales con personalidad jurídica propia. 3. Oficinas comerciales.	1. Exportación directa e indirecta. 2. Distribuidor Lorpen por país. 3. Agentes comerciales a comisión. 4. Filial industrial (creación de una fábrica propia en Méjico).
MOTIVO DE LA INTERNACIONALIZACIÓN	1. La empresa nace con vocación internacional ya que detecta un nicho de mercado mundial.	1. Nicho de mercado no cubierto: calcetín deportivo de calidad y técnico. 2. Utilización de la internacionalización como estrategia de crecimiento de la empresa. 3. Obtención del premio a la innovación en accesorios de Polartec.
ESTRATEGIA DE DESARROLLO INTERNACIONAL	1. Seguir invirtiendo en I+D para mantener el liderazgo tecnológico. 2. Seguir concretando propuestas de nuevos mercados. 3. Implantación en Estados Unidos.	1. Consolidación en Estados Unidos. 2. Acuerdo con un distribuidor canadiense con experiencia en Estados Unidos para convertirse en parte de su Departamento de Ventas.
OTRAS CONSIDERACIONES	1. Vende soluciones adaptadas a las necesidades del cliente. 2. Lanzamiento de un producto sin cableado, que permite una ampliación de su instalación en sectores distintos al hotelero. 3. Gran importancia de la innovación. 4. Aumentó la sensibilidad hacia este tipo de productos tras el 11S en Nueva York.	1. Apuesta por la internacionalización.

Fuente: Elaboración propia a partir de la página web del ICEX.

CUADRO 7.2.
EJEMPLOS DE EMPRESAS DE TAMAÑO MEDIO INTERNACIONALIZADAS

CONCEPTOS	CORPORACIÓN PATRICIO ECHEVERRÍA	CIE AUTOMOTIVE
ACTIVIDAD	1. Herramienta manual y componentes de maquinaria agrícola.	1. Componentes de automoción. 2. Biocombustibles.
MÉTODOS DE ENTRADA	1. Exportación. 2. Instalación de fábricas propias. 3. Compra de empresas locales.	1. Inversión directa: adquisición de empresas. 2. Implanta su propia empresa.
MOTIVO DE LA INTERNACIONALIZACIÓN	1. Vía natural de crecimiento y búsqueda de oportunidades comerciales. 2. Producción de herramienta de calidad.	1. Tres de sus clientes (Continental, Lucas y Delphi) le proponen acompañarles en su proceso de internacionalización. 2. Convertirse en proveedor multitecnológico, en vez de especializarse.
ESTRATEGIA DE DESARROLLO INTERNACIONAL	1. Implantación en China. 2. Aumentar la diversificación geográfica y la gama de productos.	1. Expansión hacia zonas de fuerte crecimiento donde los costes laborales son bajos. 2. Innovación permanente. 3. Búsqueda de una empresa en cada mercado objetivo.
OTRAS CONSIDERACIONES	1. Aprovechamiento de la oportunidad detectada: la firma del NAFTA entre Canadá, Estados Unidos y Méjico tras la implantación de una planta allí.	1. Reducción de costes que le permitió disminuir sus precios. 2. Oportunidades de financiación para la globalización.

Fuente: Elaboración propia a partir de la página web del ICEX.

7.3. Utilización de los medios de apoyo para la internacionalización de las PYMES

Durante los últimos cuarenta años, este autor ha vivido experiencias de internacionalización muy diversas y enriquecedoras que arrojan, como en innovación, un balance de éxitos y de fracasos. Pero, aunque ello no lo justifique, los medios de apoyo eran muy inferiores. Afortunadamente, hoy en día existen numerosos manuales, más o menos prácticos, públicos[24] y privados, para iniciarse en la exportación o en la inter-

---

[24] Recomendamos leer la guía práctica para internacionalizar la empresa titulada "¿Cómo empiezo a exportar?", publicada en marzo de 2013 por la Secretaría de Estado de Comercio del Ministerio de Economía y Competitividad y distribuida por el periódico Expansión. Responde a las siguientes dudas: ¿cómo empiezo a exportar?, ¿cómo impulsar las exportaciones?, ¿cómo implantarse en el exterior?, ¿cómo obtener financiación?, ¿dónde solicitar

nacionalización. Y existen numerosas entidades nacionales e internacionales que prestan apoyo[25] a la internacionalización de las empresas. Entre las diez principales cabe resaltar:

1. La Secretaría de Estado de Comercio del Ministerio de Economía y Competitividad (MINECO), cuya página web es http://www.comercio.es/. Además de los recursos de los servicios centrales de esta Secretaría de Estado de Comercio, tiene a disposición de las empresas españolas la red de cerca de 100 Oficinas Económicas y Comerciales en el mundo, las 31 Direcciones Territoriales y Provinciales de Comercio en España, el Instituto de Crédito Oficial (ICO) y los siguientes órganos y entidades dependientes de dicha Secretaría de Estado: el ICEX (que fomenta la internacionalización de las empresas españolas y la atracción de inversiones exteriores a España), COFIDES (que proporciona financiación a medio y largo plazo a proyectos de compañías españolas que contribuyan al desarrollo de los países receptores de inversión), la Sociedad Estatal España Expansión Exterior (que detecta y crea oportunidades de negocio de exportación e inversión en el exterior, además de ofrecer apoyo en el proceso comercial y paquetes financieros para grandes proyectos) y CESCE (que ofrece soluciones para la gestión del riesgo desde dos ámbitos: gestiona la cuenta del Estado de riesgo político y opera por cuenta propia en el mercado del riesgo comercial). Todos estos servicios están disponibles de forma gratuita a través del Centro de Asesoramiento Unificado en Comercio Exterior (CAUCE): información@icex.es.

2. El ICEX que, como hemos señalado, depende de la Secretaría de Estado de Comercio del MINECO y que tiene la página web: http://www.icex.es/

3. Además, las Comunidades Autónomas también tienen programas y organismos de promoción exterior de apoyo, que se pueden ver en sus respectivas páginas web y a través de www.icex.es

4. Las Cámaras de Comercio e Industria,[26] que forman parte de organizaciones internacionales como la Cámara de Comercio Internacional, la Asociación Iberoamericana de Comercio o las Eurocámaras son muy activas en el fomento del comercio exterior.

---

asesoramiento?, ¿cómo mejorar la formación en internacionalización?, y ¿cómo atraer inversión extranjera y buscar socios o financiación exterior para proyectos en España?

[25] Ayudas y subvenciones incluidas.

[26] El 10 de mayo de 2013, el Consejo de Ministros aprobó el anteproyecto de Ley de Cámaras de Comercio, Industria y Navegación, con el que aspira a reforzar el papel de estos organismos como promotores de la internacionalización e impulsoras de la competitividad de las empresas españolas. "*La nueva ley está dirigida a sentar las bases de un modelo sólido que garantice la continuidad de un sistema cameral en España similar al de países como Alemania y Austria*", según el Gobierno. Una vez aprobada la norma, el actual Consejo Superior de Cámaras se convertirá en **Cámara de Comercio de España** y actuará como órgano representativo de todas las Cámaras territoriales. Se ocupará en coordinación con la red estatal e internacional de Cámaras y con las administraciones públicas, del desarrollo efectivo del **Plan Cameral de Internacionalización** y del Plan Cameral de Competitividad.

5. El propio Consejo Superior de Cámaras Oficiales de Comercio, Industria y Navegación (Cámara de Comercio de España), cuya web es http//www.cscamaras.es.

6. La CEOE, cuya página web es http//www.ceoe.es/ así como las organizaciones empresariales locales.

7. Las Asociaciones de exportación sectorial: véase su relación en www.icex.es

8. Subrayamos que, en cuestiones de financiación e instrumentos de apoyo financiero, destacan el Instituto de Crédito Oficial (ICO), la Compañía Española de Financiación del Desarrollo (COFIDES) y la Compañía Española de Crédito a la Exportación (CESCE).

9. La Unión Europea cuenta con organismos tan relevantes como el Banco Europeo de Inversiones (BEI), el Banco Europeo de Reconstrucción y Desarrollo (BERD) y el Banco de Desarrollo del Consejo de Europa (CEB), así como con programas como DCI, ENPI o IPA.

10. Organismos tan destacados como la ONU, la OMC, el FMI, la OCDE, la UNCTAD, el Banco Mundial o los Bancos "regionales" (como por ejemplo, el Asiático, el Africano o el Interamericano de Desarrollo) también pueden ser relevantes.

Como vemos, se cuenta con numerosos organismos y programas de apoyo. Y, como hemos señalado anteriormente, hay numerosos manuales, libros[27] y documentación que profundizan en el conocimiento de lo que aportan cada uno de los citados.

7.4. Resumen final

Está claro que en un país como el nuestro, donde en los últimos años se han destruido unas 500.000 empresas, todos tenemos que aportar nuestro granito de arena para aumentar el emprendimiento y desarrollar la internacionalización de las empresas o negocios.

Una de las principales cualidades del emprendedor es que es capaz de **detectar una oportunidad de negocio** (frecuentemente, una necesidad de mercado insatisfecha)[28] y, posteriormente, diseñar un **modelo de negocio**: la suma de un segmento de cliente, una propuesta de valor, un canal de distribución para el producto o servicio, una estrategia de relación con el cliente, y la definición de las actividades clave, de los recursos clave, de las fuentes de ingresos y de su estructura de costes.[29] Nos gustaría que estuviéramos de

---

[27] Ortega, A. y Espinosa, J.L. (2015) es uno de ellos.
[28] Véase el caso Nire iHealth.
[29] En el capítulo 6, dedicado a Nire iHealth, encontrará el cuadro 6.3 que ilustra lo que acabamos de resaltar que debe contener un modelo de negocio.

acuerdo en que la mayor parte de estas actitudes, competencias, funciones y tareas deben ser competencia de cualquier directivo de una PYME que desee internacionalizarse. Reiteramos que **el emprendimiento es clave en la internacionalización de las PYMES**.

Además, deseamos que, como señalábamos en la Presentación del libro, haya podido comprobar que:

- Este libro no pretende ser un manual para iniciarse en la exportación.

- Las PYMES son las principales destinatarias de este libro.

- *"Plan de internacionalización de la PYME en la práctica"* pretende ser un libro que ayude a los directivos de las PYMES a internacionalizarse.

- Para aprender las mejores prácticas de otros, le hemos presentado cuatro casos:

  - Caso **Centork (capítulo 3)**: una empresa industrial, creada en 2002, que tiene producto propio, que con una facturación de unos 4 millones de euros el 80% proviene del exterior, y que ahora está integrada en un grupo multinacional.

  - Caso **Ternua Group (capítulo 4)**: una empresa de artículos deportivos, cuya matriz data de 1989, que nace con un enfoque local, que inicia su internacionalización para conseguir lo que no logra en su mercado interior, que para luchar con multinacionales de la talla de *Adidas* y *Nike* trabaja unos nichos de mercado y que factura unos 30 millones de euros, de los que el 33% proviene del exterior.

  - Caso **EGA Master (capítulo 5)**: una empresa que nace en 1990 y que –a diferencia de la mayoría de PYMES– se posiciona desde el principio como una empresa internacional (que luego trata de "nacionalizarse"), que produciendo y comercializando herramienta de mano factura unos 22 millones de euros, de los cuales el 86% proviene de más de 150 países de los cinco continentes, que cuenta con filiales en cuatro de ellos, y que el 40% de su facturación la obtiene en mercados emergentes.

  - Caso **Nire iHealth (capítulo 6):** una *start up* que nace el 26 de diciembre de 2013, con una visión global; que en 2014 facturó menos de 50.000€ y cuyo plan de internacionalización contempla para los próximos años varios miles de millones de euros, con soluciones de autogestión de la salud, basadas en la prevención.

Nos gustaría recordar que, para las PYMES, **internacionalizarse es una necesidad;**[30] que cuando hablamos de **internacionalización** nos estamos refiriendo a un **estadio avanzado**[31] de este largo proceso; que la mayor parte de las PYMES deberían

---

[30] No es cuestión de conveniencia, sino de necesidad.

[31] Al menos, a partir de la 3ª fase (en la que las exportaciones son regulares y forman parte de la estrategia de la empresa, suponiendo una importante contribución a la facturación de la empresa; hay un presupuesto para ello

contar con una **estrategia de internacionalización** y, a ser posible, con un **plan de internacionalización** como los que hemos mostrado en este libro.[32] Porque en un mundo globalizado como el que vivimos, en el que continuamente surgirán competidores tan agresivos como hoy pueden ser las temidas empresas chinas, la **internacionalización de las PYMES** es, a nuestro juicio, una estrategia **imprescindible para su competitividad**.

Sintetizando, la PYME tiene que tener en cuenta los siguientes factores clave de éxito para su internacionalización:

1) Una **cultura emprendedora** basada en:

   - El mantenimiento de una visión de futuro ambiciosa, clara y bien comunicada.

   - Que sea capaz de redefinir las fronteras del mercado y tenga una perspectiva global.

   - Con capacidad y vocación para identificar nuevas oportunidades, y

   - Que favorezca el fomento y la canalización de las iniciativas empresariales.

2) Que comparta que los **pilares básicos** de su modelo de negocio deben ser el **pensamiento estratégico** y su **visión internacional** del negocio.

3) Y **que utilice los medios de apoyo disponibles** para la internacionalización de las PYMES.

---

y se cuenta con personal propio en los mercados exteriores) de las cinco que señalan Ortega, A. y Espinosa, J.L. (2015), en las páginas 28 y 29 de su libro.

[32] Los puntos 3 y 4 del capítulo 2 exponen cómo hacerlo y los capítulos 3 a 6 ilustran cómo lo están haciendo cuatro PYMES.

Bibliografía

ARANBERRI, L. (2013): El método del caso. EGA Master. Universidad de Deusto. Bilbao.

BARTH, K., KARCH, N.J., McLAUGHLIN, K. y SMITH SHI, C. (1996): *"Global retailing. Tempting trouble?"*, The McKinsey Quarterly, nº 1, págs. 116-125.

B+I STRATEGY (2010 y 2013): Estrategia Nº 000002. Bilbao.

CASILLAS BUENO, J.C. (1998): *"El nivel de internacionalización de las empresas españolas con filiales en el exterior"*, Investigaciones Europeas de Dirección y Economía de la Empresa, vol. 4, nº 2, págs. 91 a 108.

CZINKOTA, M. R. y RONKAINEN, I. A. (2014): *"Lograr el éxito glocal"*, Harvard Deusto Marketing y Ventas, nº 126, septiembre, págs. 22 a 26.

EXPANSIÓN (2013): Guía práctica para empresas y emprendedores. Madrid.

CHAN, K. W. y MAUBORGNE, R. (2005): La estrategia del océano azul. Cómo crear en el mercado espacios no disputados en los que la competencia sea irrelevante. Edit. Granica. Barcelona.

DELL, M. *et al*. (2013): Aprende a emprender (Guías de éxito. Lecciones de los líderes mundiales de los negocios). Edit. Random House Mondadori, S.A. Barcelona.

EOI, coordinación (2005): Curso superior: Estrategia y gestión del comercio exterior. 2ª edición. Madrid.

ESCOLANO, C.V. y BELSO, J.A. (2003): *"Internacionalización y PYMES: conclusiones para la actuación pública a partir de una análisis multivariante"*, Revista Asturiana de Economía-RAE nº 27, págs. 169 a 195.

FRANCH, J. (2014): *"Cuando la internacionalización se convierte en la estrategia de crecimiento más efectiva"*, Harvard Deusto Marketing y Ventas, nº 123, abril, págs. 48 a 54.

INICIA (2012): *"La internacionalización de la empresa catalana"*, mimeografiado. Barcelona.

NUÑEZ, J.A., TURRION, J. y VELÁZQUEZ, F.J. (2012): *"Decisiones de internacionalización y heterogeneidad empresarial: el caso de las manufacturas españolas"*, Cuadernos económicos de ICE nº 82, Madrid.

OLIVÉ, A. (2013): *"Las oportunidades de negocio, ¿se reconocen o se construyen?"*, Revista Estudios Empresariales, nº 141, págs. 62 a 70.

ORTEGA, A. y ESPINOSA, J.L. (2015): Plan de internacionalización empresarial. ESIC Editorial. Madrid.

SAINZ DE VICUÑA, J. Mª (1977): *"Cara y cruz de la exportación española" (Análisis crítico)*, Estudios Empresariales, nº 56, págs. 19 a 37.

– (1984): *"Reflexiones ante la entrada en la Comunidad Económica Europea"*, Estudios Empresariales, núm. 59, págs. 1-7.

– (1985): *"Reflexiones ante la entrada en la Comunidad Económica Europea"*, Estudios Empresariales, núm. 59, págs. 1-7.

– (2006): Innovar con éxito. ESIC Editorial. Madrid.

– (2010): El Plan de marketing en la PYME. ESIC Editorial. 2ª edición. Madrid.

– (2013): Internacionalización e innovación de la empresa. ESIC Editorial. Madrid.

– (2014a): El Plan de marketing en la Práctica. ESIC Editorial. 19ª edición. Madrid.

– (2014b): Alianzas Estratégicas en la Práctica. ESIC Editorial. Madrid.

– (2015): El Plan Estratégico en la Práctica. ESIC Editorial. 4ª edición. Madrid.

SECRETARÍA DE ESTADO DE COMERCIO (2013): ¿Cómo empiezo a exportar? Ministerio de Economía y Competitividad. Madrid.

SENOR, D. y SINGER, S. (2012): Start-Up Nation: La historia del milagro económico de Israel. Autor-Editor.

TAKEUCHI, H. y NONAKA, I. (1986): *"The new product development game"*, Harvard Business Review, January-February.